문학관을
생각한다

문학관학 입문을

위한 밑그림

저자

나카무라 미노루(中村稔, NAKAMURA Minoru)
전 일본근대문학관 이사장. 1927년 사이타마현 오미야 출생. 시인·변호사. 제일고
등학교, 도쿄대학 법학부 졸업. 『세대』 동인. 저서로는 『무언가(無言歌)』, 『제원초
(鵜原抄)』, 『날벌레 나는 풍경』, 『부범표탕(浮泛漂蕩)』, 『말에 대하여』 등의 시집과
전기 『찰나의 환영, 동화가 고마이 데쓰로의 생애』, 자서전 『나의 쇼와사』 등이 있
다. 다카무라 고타로 문학상, 요미우리 문학상, 도손 기념역정상(藤村記念歷程賞), 현
대시인상, 아사히상, 마이니치 예술상, 이노우에 야스시 문화상 등 여러 문학상을 수
상했다.

옮긴이

함태영(咸苔英, HAM Taeyoung)
인천문화재단 한국근대문학관 학예연구사. 문학박사. 한국과 일본에서 한국 근대문
학과 자료 연구방법론에 대해 공부했다. 한국 근현대문학을 대중화하는 일과 자료
발굴·서지 연구에 관심이 있다. 주요 논저로는 「근대문예의 토대와 확산」, 「문학관
의 현황 및 인천문화재단이 만드는 한국근대문학관」, 「1910년대 소설의 역사적 의
미」 등이 있다.

문학관을 생각한다 문학관학 입문을 위한 밑그림
초판 1쇄 발행 2019년 4월 17일
초판 2쇄 발행 2022년 1월 20일
지은이 나카무라 미노루 **옮긴이** 함태영 **펴낸이** 박성모 **펴낸곳** 소명출판 **출판등록** 제13-522호
주소 06643 서울시 서초구 서초중앙로6길 15, 1층
전화 02-585-7840 **팩스** 02-585-7848 **전자우편** somyungbooks@daum.net **홈페이지** www.somyong.co.kr

값 13,000원 ⓒ 소명출판, 2019
ISBN 979-11-5905-398-6 93020

잘못된 책은 바꾸어드립니다.
이 책은 저작권법의 보호를 받는 저작물이므로 무단전재와 복제를 금하며,
이 책의 전부 또는 일부를 이용하려면 반드시 사전에 소명출판의 동의를 받아야 합니다.

이 역서는 성균관대학교 문과대학·동아시아학술원 캠퍼스아시아사업의 출판 지원을 받았음.

문학관을
생각
한다

나카무라 미노루 지음 | 함태영 옮김

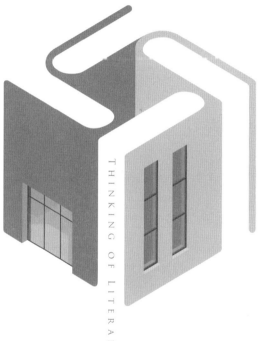

THINKING OF LITERARY MUSEUM

문학관학
입문을 위한
밑그림

2011년에 출판된 『문학관을 생각한다』가 함태영 선생에 의해 한국어로 번역되어 매우 영광스럽고 기쁘기 그지없습니다. 우선 함태영 선생과 소명출판에 진심으로 감사드립니다.

제 저서는 '문학관학 입문을 위한 밑그림'이라는 부제대로 본격적인 '문학관학' 저술이 아니고, 문학관학에 대한 안내나 개론도 아닙니다. 단지 그러한 안내나 개론을 기초하기 위해 급히 대충 쓴 노트 정도의 책입니다.

문학관은 어떤 시설이며, 무엇을 목적으로 하는지, 어떤 사업을 해야 하는지 등을 다룬 저서나 논문이 일본에는 전혀 없었습니다. 이러한 뜻에서 저는 이 책이 일본에서 처음이라는 점을 자랑스럽게 생각하고 있습니다. 이 책을 토대로 하여 앞의 질문들에 보다 상세하고 치밀하게, 더 깊이 문제를 파고들어 답을 해줄 수 있는 책이 계속 나오기를 바라고 있습니다.

문학관은 자료의 수집과 보존을 제일 목적으로 해야 한다고 생각합니다. 회화, 조각, 미술공예품 등과 달리 문인이 쓴 원고는 많은 사람들에게 별 의미를 갖지 못하는 것이 보통입니다. 따라서 흩어져버리는 경우가 많습니다. 초판본, 특히 이름 없는 출판사에서 나온 책이나 작품이 처음 실린 잡지, 그중에서도 문인으로서 아직 인정받지 못했을 때 발표한 동인지 등은 문학 연구에 반드시 필요한 자료이지만 일반 사회에서는 그 가치를 모르는 것이 보통입니다. 잡지나 신문에 실렸다가 단행본으로 출판할 때 많은 문인들이 퇴고, 첨삭, 정정 작업을 합니다. 판을 거듭할 때마다 고치는 문인도 드물지 않습니다. 문인들이 가족, 친구, 비평가 등에게 보낸 편지도 그의 문학을 이해하는 열쇠가 될 수 있습니다. 또 영향을 받은 동시대 문인의 작품도 해당 작가의 이해와 해석을 위해 반드시 필요합니다. 이렇게 보면 문학관이 수집, 보존해야 할 자료는 거의 무한대에 가깝습니다. 따라서 문학관에는 온습도 관리가 잘되는 충분한 넓이의 수장고가 필요합니다.

하지만 수집하고 보존하기만 하면 이는 자료를 사장시키는 것과 같습니다. 따라서 학자의 연구를 위한 열람도 필요하고 일반 대중을 위해 전시도 개최해야 합니다. 단, 많은 관람객이 찾는 관광시설로서는 기대하기 어렵습니다. 미술관이나 박물관과 달리 문인의 유품이나 유고는 흥미 있는 볼거리가 아니기에 관광시설로는 적합하지 않습니다. 하지만 귀중한 문학 자료에 흥미를 갖게 하는 것이 문학관의 사명입니다. 그러기 위해서는 전시 기획, 전시 진행, 각종 설명 등에 대해 세심한 궁리가 필요합니다.

이와 같은 사업을 수행하기 위해서는 학예사를 비롯한 유능한 사무직원의 뒷받침이 필요하고 재정 기반도 충실해야 합니다.

노력 없이는 아무것도 성취할 수 없습니다. 이 책의 번역이 한국의 문학관 발전에 얼마간이라도 기여할 수 있기를 염원하고 기대하는 바입니다.

나카무라 미노루

차례

일러두기

1. 이 책은 中村稔, 『文学館を考える－文学館学序説のためのエスキス』(青土社, 2011)를 완역한 것이다.
2. 일본어 표기는 국립국어원의 외래어 표기법을 따랐다.
3. 인명이나 작품명, 장소 등 일본어 고유명사는 원 발음대로 적는 것을 원칙으로 하되, 우리말 단어로 대체할 수 있는 것은 우리식으로 옮겼다.

    예) 西南戦争 → 세이난전쟁, 軽井沢高原文庫 → 가루이자와고원문고, 「哀しき父」 → 「슬픈 아버지」, 『アララギ』 → 『아라라기』, 『赤光』 → 『적광』, 「道草」 → 「미치쿠사」, 調布市 → 조후시

3. 몇몇 고유명사니 단어는 우리나라에서 일반적으로 사용하는 것으로 바꿔 옮겼다.

    예) 수장(품) → 소장(품), 자치체 → 지방자치단체, 내관자 → 관람객, 학예원 → 학예사

4. 이 책의 주는 모두 역자 주이다.

총론

/

이 글은 1998년 9월부터 2001년 3월까지 16회에 걸쳐 일본근대문학관[1] 격월간 기관지인 『일본근대문학관』[2]에 「문학관학 입문의 밑그림을 위하여」라는 제목으로 연재한 것이다.

현재 일본에는 수백 개에 달하는 문학관이나 작가 기념관, 기념실이 있다고 한다. 하지만 문학관이 어떠한 시설이어야 하는지 설명한 저술은 거의 없는 것 같다. 적어도 문학관학 입문이라고 할 만한 책을 정리하기 위한 첫 걸음으로 연재를 시작했다. 이 책은 전국문학관협의회[3] 보고와 토의, 그리고 필자 자신의 경험에 기반을 두고 있는데, 협의회 활동의 분류에 따라 총론, 자료, 전시 순으로 다양한 문제를 다루려 한다. 먼저 마무리된 총론 부문부터 살펴보도록 하자.

---

1   日本近代文学館. 1967년 개관. 도쿄도 메구로구 소재.
2   일본근대문학관에서 발행하는 격월간 기관지. 1971년 5월 창간호를 낸 이래 2019년 1월까지 총 287호를 발행했다.
3   전시, 교육, 자료 등 다양한 분야의 협력을 위해 일본 전국의 공사립 문학관들이 모여 1995년 6월 17일 발족한 협의회. 2019년 현재 총 100개 관이 가입되어 있으며, 일본근대문학관에 사무국이 있다. 『전국문학관협의회회보』라는 기관지를 연 2~3회 발행한다.

1. 시작하며

문학관의 감흥 – 데라다 도라히코[4]의 축음기

1998년 7월 초순 고치현립문학관[5]을 방문했을 때 데라다 도라히코 기념실에서 도라히코가 애용했던 축음기를 보았다. $60cm^3$나 됨직한 큼직한 것이었는데, 전쟁 이후에도 잘 보존된 것에 감동을 받았다. 마침 "에디슨의 축음기 발명이 등록된 것은 1877년으로 딱 세이난전쟁[6]이 일어난 해였다"라는 문장으로 시작하는 도라히코의 「축음기」라는 수필이 생각났다. "세이난전쟁에 출정했던 아버지가 전란이 평정된 후 집에 돌아온 그해 말 내가 태어났다"라는 기록과 "축음기 개량진보의 역사도 재미있지만, 내게는 나 자신이 축음기와 주고받은 관계의 내력이 훨씬 사무치게 느껴져 잊을 수 없다"라는 추억을 담고 있는 글이다. 필자가 놀란 것은 "음파에 의해 일어난 전류 변화를 전자석에 의해 발생된 강철 철사 자력의 변화로 번역했고, 그것을 소리로 재현하는 장치도 이미 발견되어 현재 일본에도 한 대 정도는 들어왔을 것이다"

4　寺田寅彦(1878~1935). 물리학자, 수필가, 하이쿠 작가.
5　高知県立文学館. 1997년 개관. 고치현 고치시 소재.
6　西南戦争. 1877년 지금의 구마모토현, 미야자키현, 오이타현, 가고시마현에서 사이고 다카모리(1828~1877)를 맹주로 하여 사족들이 일으킨 무력반란.

라고 그가 쓰고 있다는 점이었다.[7]

이것은 1922년 4월 『도쿄아사히신문』에 실린 글이다. 필자 세대에게는 1945년 8월 15일에 방송된 이른바 옥음방송[8]의 열악한 음질이 기억에 선명하다. 도라히코는 원반축음기에서 생기는 잡음 같은 결점을 지적하면서 와이어 레코딩을 소개하고 있는데, 제2차 세계대전 중 히틀러는 와이어 레코딩 녹음방송으로 영국인들에게 충격을 주었다고 한다. 그 후 교류 바이어스법이 발명되고 와이어를 대신한 자기테이프가 개발되어 전후에 테이프 레코더가 급속하게 보급된 것이다.

도라히코의 글은 이보다 30년 가까이 빠른데, 전시되어 있는 축음기에서는 그의 선견지명을 찾아볼 수 없다.[9]

7 데라다 도라히코는 물리학자이지만, 하이쿠나 에세이 등을 많이 쓴 문학자로도 잘 알려져 있다. 메이지 시기의 문호 나쓰메 소세키의 제자로도 유명하다. 이 책의 저자인 나카무라 미노루(1927년생) 세대는 제2차 세계대전 때의 히틀러나 옥음방송 등을 통해 음성기록·재생 기기에 대해 잘 알고 있었다. 저자는 이때보다 30년 전에 이미 데라다 도라히코가 음성재생 기기의 존재와 그 구조를 잘 알고 있다는 데 놀란 것이다.
8 천황의 육성을 방송하는 것을 가리킨다. 이 글에서는 1945년 8월 15일 정오 라디오를 통해 방송된 히로히토 천황의 종전조서 음독방송을 말한다.
9 전시된 축음기만으로는 '옛날 축음기가 잘 보존되어 귀중한 것을 볼 수 있었다' 정도의 감상밖에 가질 수 없다. 하지만 저사는 데라다 도라히코의 축음기 관련 에세이를 읽었기 때문에 그 내용을 떠올리고 보다 깊은 감동을 느낀 것이다. 만약 저자에게 이러한 독서 체험이 없었다면 도라히코의 선견지명은 알 수 없었을 것이다.

감동을 부르는 독서체험

데라다 도라히코는 「축음기」라는 수필을 다음과 같이 끝맺고 있다.

축음기를 포함한 모든 문명의 이기는 인간의 편리를 목적으로 만들어진 물건인 것 같다. 하지만 편리와 행복이 꼭 같은 뜻은 아니다. 나는 미래에는 문명의 이기가 편리함보다 인류의 정신적 행복을 최우선시하는 방향으로 발명·개량될 때가 올 것을 바라고 또한 믿는다. (…중략…) 만약 나의 공상이 도저히 실현될 수 없게 된다면, 나는 실망할 것이다. 동시에 인류는 행복에 대한 기대를 영원히 버리고 다시 돌아올 수 없는 문을 통과하게 될 것이다.

20세기 말이 된 현재, 문명의 이기가 발달하면서 도라히코의 시대와는 생활양식이 완전히 달라졌다. 그리고 이러한 발달이 '인류의 정신적 행복'에 보탬이 되고 있는가 하는 도라히코의 질문은, 현재의 우리들에게 더욱 절실해졌다.

고치현립문학관에서 데라다 도라히코가 애용했던 축음기를 보고 새로운 감회에 젖어 있는데, 축음기 옆에 역시 그가 아낀 바이올린과 첼로가 전시되어 있는 것이 눈에 띄었다. 이를 보고 『나는 고양이로소이다』의 등장인물 간게쓰 군이 생각났다. 간게쓰 군은 구마모토에서 고등학교를 다니는데, 이때 처음 산 바이올린을 옷고리짝에 숨겨 산길 8리를 걸어 올라가 몰래 켜려고 한 삽화가 떠오른 것이다.[10] 또한 도라히코의 「24년 전」이라는 글에서, 케벨의 악기 값에 대한 물음에 도라히코가 9엔짜리 바이올린이라고 답하자 케벨이 "갑자기 웃음을 터뜨리며 큰 소리로 재미있는 듯이 웃었다"라고 쓴 대목도 떠올랐다.

문학관을 찾는 감동은 전시물에서 환기되는 독서체험의 기억이고 동시에 그에 따라 일어나는 감회인 것이다.

2. 문학관의 사명

도서관 기능과 박물관 기능

문학관의 본래 사명은 문학자료, 즉 육필원고와 작품이 발표된 첫 지면, 초판본, 퇴고 후 나온 간행본, 일기, 편지, 창작노트, 작가 메모가 있는 책과 기타 장서, 나아가 연구서 등을 폭넓게

---

10 『나는 고양이로소이다』에 등장하는 과학자 미즈시마 간게쓰(水島寒月)라는 인물은 데라다 도라히코를 모델로 했다고 알려져 있다.

수집, 보존, 정리하여 연구자 등에게 열람 자료로 제공하는 데 있다. 제한된 소수 독자를 위해 도서관 기능을 수행하는 것이 문학관의 본래 역할인 것이다. 하지만 이러한 활동이 제대로 꾸준히 이어지기 위해서는 독지가나 지방자치단체 등의 이해와 지원이 필요하다. 일본근대문학관은 수많은 작가, 학자, 출판사 등의 지원과 후원을 통해 지금까지 유지되어 왔다. 하이쿠문학관,[11] 일본현대시가문학관[12] 등도 대개 이러한 도서관 기능에 충실한 문학관이다.

하지만 오늘날 많은 문학관들은 이른바 박물관 기능에 충실할 것을 요구받고 있다. 이는 소장품을 전시하여 널리 대중들이 볼 수 있게 하는 것을 핵심으로 한다. 이 때문에 수집된 자료를 바탕으로 전시를 하는 것이 아닌 전시를 위해 자료를 수집 혹은 대여하는, 일의 순서가 거꾸로 된 사례도 쉽게 볼 수 있다. 문학관이 박물관 기능에 충실하기 위해 전시를 기획할 때 원고, 노트, 첫 발표 지면 같은 자료만 있다면 전시가 매우 어렵게 된다. 전시는 이러한 자료 외에 사진, 유품, 서화 등의 두루마리 그림이나 족자, 나아가 새롭게 제작한 영상작품, 간략한 연보를 비롯한 설명과 캡션 등이 함께 어우러져 구성되는 것이다.

문학관이 박물관 기능에 충실하려면 소수의 한정된 연구자들

---

11 俳句文学館. 1976년 개관. 도쿄도 신주쿠구 소재.
12 日本現代詩歌文学館. 1990년 개관. 이와테현 기타카미시 소재.

을 위한 시설에서 한 걸음 나아가 대중을 위해 열린 시설이 되어야 한다. 이를 위해서는 작가의 사진이나 유품 같은 자료도 반드시 전시되어야 한다. 하지만 정작 이러한 것들은 전시 대상 작가와 그의 문학을 이해하는 일과는 거리가 멀다. 문학관 전시에서 얼마만큼의 감동을 느낄 것인가 하는 것은 관람객이 가진 관심이나 소양의 정도에 좌우되는 것이다.

지역 문학 활동의 중심 시설, 지역문학관

고치현립문학관의 상설전시 도록에는 하시모토 다이지로 지사의 인사말이 실려 있다. 그 가운데 "현립문학관 개관을 계기로 우리 현의 문학 활동이 보다 활발해져 21세기 문학계를 떠맡을 인재가 나와 줄 것을 기대합니다"라는 대목이 있다. 문학관이 이러한 기대에 부응할 수 있을 것인지 의문이 아닐 수 없는데, 그 의문은 문학관의 존재의의와 관련되어 있다.

문학관이 한정된 소수자를 위한 도서관 기능과 대중을 위한 열린 박물관 기능 모두를 수행하는 것은 처음부터 많은 모순이 있다. 박물관 기능을 다하기 위해, 즉 문학이나 전시된 작가에 관심이 없는 관람객에게 전시를 통해 얼마나 문학의 매력을 전달할 수 있을까. 문학은 본래 읽혀야 하는 것이지 전시에 적합한 것은 아니다. 데라다 도라히코가 애용하던 축음기, 바이올린 등은 그의 문학을 이해하는 데 보탬이 되는 자료는 아니다. 하지만 그의 글에 친숙한 사람에게는 끝없는 감동의 원천이 될 수 있을 것이다. 지금 전국 각지의 문학관 직원들이 당면한 진짜 문제는, 예컨대 데라다 도라히코를 모르는 관람객에게 어떻게 그의 문학이나 인품을 알릴 것인가 하는 점이다. 하지만 이것이 거의 불가능에 가깝다는 사실에 문제의 핵심이 있다.

문학관이 개관하면 문학 활동이 활발해질 것이라는 기대는 몽상에 불과하다. 더구나 문학계의 인재가 나올 것이라는 식의 생각은 으레 하는 인사치레로 보아야 한다. 그렇다 해도 문학관에는 특수한 도서관 기능과 박물관 기능이 동시에 요구되는데, 그 둘 사이의 모순을 어떻게 극복하고 양립시킬 것인가 하는 것이 문학관의 과제이다. 이 과제의 해결책을 찾지 못하는 한, 문학관에 미래는 없다고 할 수 있다.

부차적 역할로서의 지역 문학 진흥

문학관을 지역 문학 활동의 거점으로 여기는 발상을 자주 본다. 이를 생각하면, 앞서 본 하시모토 다이지로 고치현 지사의 인사말이 이해되지 않는 것은 아니다.

문학관이 지역 문학 활동의 거점이 되려면 구체적으로 무엇을 해야 할까. 문학강좌, 문학교실, 문학산책 같은 것을 하나의 예로 들 수 있고, 간행물의 발행도 역시 그 하나일 것이다. 일본근대문학관도 여러 해 동안 여름 문학교실을 개최해왔다. 이는 지역 문학 활동이라기보다는, 매년 특정 주제로 많은 작가·학자들이 강사로 참여하여 청중들에게 여러 각도와 측면에서 문학을 이해할 수 있도록 하는 프로그램이다. 도쿄라는 지정학적 위치와 일본근대문학관에 대한 많은 문인·연구자들의 도움으로 매년 다채로운 강사들의 의미 깊은 강연·대담 등이 진행되었다. 이러한 행사는 아마 지방의 문학관에서는 어려울 것이다(필자는 이를 영상 기록으로 남기고 싶었는데 재정 상황 때문에 꿈같은 일이 되어버렸다). 그런데 문화센터나 공민관,[13] 도서관 등에서도 문학 강좌를 들을 수 있는데 문학관까지 나서서 이를 진행할 필요나 의의가 있을지는 한번 생각해 보아야 한다.

문학관 간행물 중에서 우선 떠오르는 것은, 필자가 사는 사이타마현의 사이타마문학관[14]이 발행하는 『문예 사이타마』이다. 현민의 투고를 선정해 게재하고 아울러 약간의 기고 원고를 싣는데, 지역주민의 창작 욕구에 일종의 자극을 주고 있음은 분명하다. 하

---

13 일본의 기초자치단체인 시정촌(市町村)의 일정 구역 내의 주민을 위해 실생활에 필요한 교육, 학술, 문화와 관련된 각종 사업을 펼쳐 주민 교양의 향상과 건강증진, 생활문화의 진흥, 사회복지 증진 등에 기여함을 목적으로 하는 시설.
14 さいたま文学館. 1997년 개관. 사이타마현 오케가와시 소재.

지만 오늘날과 같이 동인지류의 출판이 간단하고 쉬워진 시대에 어느 정도의 의의가 있는지 역시 의문이 아닐 수 없다.

문학관이 이러한 활동을 하지 말아야 한다고는 생각하지 않는다. 그렇지만 성과를 기대해서는 안 되며, 어디까지나 부차적인 활동으로 생각해야 할 것이다.

작가 기념관

문학관이 처음 구상될 때, 그 동기 가운데 하나는 지역과 연고가 있는 문인을 기리기 위함이다. 개별 작가의 기념관이 보통 그러하고, 많은 지역문학관도 마찬가지이다. 그런데 어떤 지역에서는 연고가 있는 문인의 수가 너무 많고, 또 지역에 따라서는 너무 없어 억지로 찾으려는 일도 생긴다. 전자의 예가 가나가와근대문학관,[15] 가마쿠라문학관,[16] 세타가야문학관[17] 등이고, 후자가 사이타마문학관 같은 곳이다.

단순히 작가를 기리기 위해서라면 문학관은 필요하지 않을 것이다. 문학비 건립으로도 충분하기 때문이다. 문학상은 그 수가 지나치게 많고 또한 상으로서의 의미가 거의 없어졌다고 해도

---

15 神奈川近代文学館, 1984년 개관. 가나가와현 요코하마시 소재.
16 鎌倉文学館. 1985년 개관. 가나가와현 가마쿠라시 소재.
17 世田谷文学館. 1995년 개관. 도쿄도 세타가야구 소재.

과언이 아니다. 하지만 어떤 특색이나 독특한 의미를 그 상에 부여할 수 있다면, 문인의 이름을 붙여도 문제가 없을 것이다. 이런 의미에서 작가를 기념하기 위한 문학관은 그 역할이 무엇인가 하는 것이 문제가 된다.

진정으로 작가를 기리고자 한다면 우선 그 작가의 자료를 널리 수집·보존·정리하는 문학관 본연의 활동이 그 중심이 되어야 한다. 또한 작가와 관련된 연구서·평론집 등도 수집하고 보존하여 정리를 해야 한다. 이 역시 문학관 본연의 활동이다. 그리고 다음 단계가 간행물의 발행일 것이다. 다야마 가타이[18] 기념문학관[19]이 간행한 가타이 관계 서간집과 미야자와 겐지[20] 기념관[21]의 『미야자와 겐지 연구』, 나카하라 추야[22] 기념관[23]의 『나카하라 추야 연구』 등이 그 예이다. 몇몇 지역문학관이 간행하는 기요[24] 등도 여기에 포함시킬 수 있다.

특히 개별 작가 기념관의 경우, 문학관은 그 작가 연구의 메카가 되어야 한다. 그래서 그곳에 가면 모든 연구 자료가 완비되어 있어야 한다. 이렇게 되었을 때, 비로소 그 작가를 기리는 일의

---

18 田山花袋(1872~1930). 소설가.
19 田山花袋記念文学館. 1987년 개관. 군마현 다테바야시시 소재.
20 宮沢賢治(1896~1933). 시인, 동화작가.
21 宮沢賢治記念館. 1982년 개관. 이와테현 하나마키시 소재.
22 中原中也(1907~1937). 시인, 가인(歌人), 번역가. 가인은 와카(和歌), 즉 일본 전통시를 짓는 사람을 말한다.
23 中原中也記念館. 1994년 개관. 야마구치현 야마구치시 소재.
24 紀要. 연구논문을 실어 펴내는 정기간행물.

기초가 마련되는 것이라고 생각한다.

관광시설로서의 문학관

야마구치시의 나카하라 추야 기념관은, 그것이 처음 구상되고 나서 얼마 동안은 시 상공관광과 소관이었다. 현재는 시가 설립한 재단 소속이다. 야마구치시도 문학관을 관광시설로는 생각하지 않는다. 지방자치단체가 이른바 동네·마을진흥을 위해 문학관 설립을 검토하는 것은 나카하라 추야 기념관에만 해당되는 것이 아니다. 더구나 이는 결코 드문 사례가 아니다.

필자는 문학관이 관광시설이 되는 것에 반대하는 것이 결코 아니다. 오히려 문학 일반 또는 특정 작가에 별 관심이 없었던 관람객이 문학관 방문을 계기로 문학이나 작가에 관심을 갖게 되기를 진심으로 바란다. 한편, 문학관의 건립과 유지에 많은 비용이 드는 이상, 특히 지방자치단체가 주관하는 문학관일 경우 그 비용은 시민의 세금에서 나오는 것이기에 그 이익이 직간접적으로 시민들에게 환원되어야 한다. 하지만 문학관이 매력적인 관광시설이 되는 것은 매우 어려운 일이다. 문학의 매력은 본래 읽는 것에서 비롯되는 것이지 전시를 보는 것으로는 느낄 수 없기 때문이다.

관광시설로서의 문학관은 전시를 중시하는 박물관 기능을 충분히 완수할 수 있는 곳이어야 한다. 그러기 위해서는 그 기초가 되는 도서관 기능을 십분 발휘할 수 있는 충실한 자료의 구비가 필수 전제조건이다. 하지만 그렇게 된다고 해도 여전히 부족함은 남는다.

어떻게 하면 전시를 통해 관람객이 문학 혹은 문인에 대해 관심을 갖게 할 수 있을까. 이는 전시가 과연 무엇인가를 되돌아보게 하는 질문인데, 필자는 문학관은 본질적으로 관광시설일 수 없다고 본다. 단 조금이라도 관광에 보탬이 될 수 있다면 문학관의 사명으로서는 기대 이상일 것이다.

3. 문학관 건물

작가의 생가 · 옛집 보존과 그 의의

잘츠부르크에 머물고 있을 때 바이마르를 여행하고 있던 작은 딸의 그림엽서를 받았다. 딸아이는 게오르크 트라클[25]의 시를 번

---

25   Georg Trakl(1887~1914). 오스트리아 시인.

역한 적이 있는데, 마침 연구년을 맞아 트라클의 탄생지 잘츠부르크를 중심으로 독일, 오스트리아 각지를 여행하고 있었다. 괴테의 희곡이 상연된 극장 근처의 카페에서 쓴 그림엽서에는 괴테의 옛집과 바로 옆 박물관을 방문한 감동과 흥분이 적혀 있었다.

세계의 대문호답게, 또한 바이마르왕국의 귀족에 걸맞은 굉장한 저택과 널따란 정원에는 다양한 꽃과 약초가 만발해 있었다. 박물관에서는 괴테를 비롯하여 교과서에서 많이 본 동시대 문인들의 유품 등을 접할 수 있어, 역시 바이마르는 독일 문화의 중심이었구나 하는 깨달음과 큰 감동을 받았다고 한다. 엽서 그림은 괴테의 서재 같았는데, 순백의 커튼이 드리워진 창문은 물론 벽의 거울과 가구도 빛이 날 정도로 모두 세련된 모습이었다. 또한 그림 속에는 화분도 세 개 놓여 있었다. 보고만 있어도 기분이 좋아지는 서재라고 딸아이는 쓰고 있다. 딸은 트라클이나 파울 첼란[26] 같은 현대 독일 시인에 관심이 많다. 괴테와 그 동시대 작가들에게는 직업상의 상식 정도만 가지고 있을 뿐이다. 그런 딸이 괴테의 옛집이나 박물관에 격렬하게 마음이 흔들리는 모습을 보고, 다시 한번 문학관의 역할에 대해 생각하게 되었다.

일본에서도 문인의 생가나 옛집을 기념관으로 개조하거나 다른 곳으로 옮겨 보존하는 예가 적지 않다. 필자는 그곳들을 돌아보며 감흥에 젖기도 하고 문제점에 대해 생각해보기도 했다. 또

---

26   Paul Celan(1920~1970). 루마니아 출생의 독일계 유대시인.

때로는 실망을 느낀 적도 있다. 작가의 생가나 옛집을 그대로 혹은 이축하여 보존하고 유지·관리해 온 사람들의 정열에 경의를 표한다. 하지만 일본과 독일은 여러 면에서 다르다고 할 수 있다.

작가의 생가·옛집 보존 및 유지의 어려움

가루이자와고원문고[27] 부지 한편에 노가미 야에코[28]의 기타가루이자와 산장의 별채가 옮겨 지어져 있다. 비바람이 들이치지는 않을까 걱정될 만큼 얌전한 오두막이다. 이곳에서 80~90세가 넘은 나이에도 작품을 쓰고 다도를 즐긴 작가를 생각하니 왠지 온몸이 긴장되는 듯하다. 또한 같은 공간 안에 옮겨진 아리시마 다케오[29]의 별장 천장을 올려다보며 저것이 하타노 아키코[30]와 목을 맨 대들보인가 하는 생각에 가슴이 먹먹해지기도 했다. 센다이 교외, 미야기현 다이와정의 하라 아사오[31] 기념관[32]은 작가의 생가로 그가 만년을 보낸 곳이다. 당시에는 눈에 띄는 하이

---

27 軽井沢高原文庫. 1985년 개관. 나가노현 기타사쿠군 가루이자와정 소재.
28 野上弥生子(1885~1985). 소설가.
29 有島武郎(1878~1923). 소설가.
30 波多野秋子(1894~1923). 잡지 기자. 아리시마 다케오의 애인이자 정사(情死) 상대.
31 原阿佐緒(1888~1969). 가인.
32 原阿佐緒記念館. 1990년 개관. 미야기현 구로카와군 다이와정 소재.

칼라 건물이었음을 짐작할 수 있었는데, 부유한 상인의 집 치고
는 의외로 검소했다. 다카무라 지에코[33]의 생가, 고오리야마 근
처 후쿠시마현 니혼마쓰시의 나가누마 家의 점포 겸 주택을 찾
아갔을 때도 같은 인상을 받았다. 하라 가도 나가누마 가도 그들
이 어렸을 때에는 부유했지만, 그 후 가세가 기울어 집 자체는
물론 부지나 주변 경관도 크게 변했던 것이다.

독일의 석조건물과 비교하여 기우다슈한 일본에서 목조로 된
작가의 생가나 옛집을 보존하고 유지하는 것은 어마어마한 노력
이 필요하다. 방화·방재 등에 대한 세심한 주의는 물론 무엇보
다도 작가가 생활했을 당시의 모습을 재현하는 것이 매우 어렵
다. 화실和室에서는 살림도구 같은 작은 물건들도 작가의 인격을
보여줄 수 있기에 그것들을 그대로 유지하기 위해서는 하루도 청
소를 거를 수 없다. 따라서 이들 기념관이나 옛집을 유지하는 데
얼마나 큰 수고로움이 필요한지 쉽게 상상할 수 있다. 하지만 이
러한 노력에도 불구하고 작가의 옛집이나 생가에서 그들의 생활
감을 느낄 수 없다는 것은 참으로 실망스러운 일이 아닐 수 없다.
작가의 숨결이 사라진 죽은 껍데기를 마주한 것 같은 느낌이다.

---

33 高村智恵子(1886~1938). 서양화가.

작가의 생가 · 옛집과 자료의 보존 · 전시

신구시의 사토 하루오[34] 기념관[35]은 도쿄 분쿄구 세키구치에 있던 작가의 집을 구마노하야타마대사[36] 경내 한쪽에 옮겨 지은 것이다. '나무 한 그루 풀 한 포기까지 똑같게'라는 비유는 지나친 감이 있지만, 작가의 옛집을 정확하게 옮겨지은 정열에 감명을 받지 않을 수 없었다. 또한 자료의 수집과 보존을 위해 방화 · 방재를 염두에 둔 수장고를 옛집에 이어 붙여 지은 식견에도 경의를 표했다.

그렇다 해도 분쿄구 세키구치라는 도시의 주택지와 하야타마대사 경내라는 환경의 다름에서 비롯되는 약간의 위화감은 어쩔 수 없었다. 무엇보다도 작가의 옛집을 유고遺稿 · 유품류 전시시설로 전용한 것이 문제라는 느낌이 들었다. 이 기념관에는 작가가 애용한 세간과 비품류가 상당수 배치되어 있다. 이로 인해 작가가 살아 있는 듯한 충만한 생활감을 느낄 수 있어 좋다. 하지만 과연 옛집이 전시시설로서 적합할까 하는 점에서는 의문이 들지 않을 수 없다.

이 같은 사례는 작가의 생가나 옛집을 기념관-전시시설로 하는 경우뿐만이 아니다. 도쿄도근대문학박물관[37]이나 가마쿠라

---

34 佐藤春夫(1892~1964). 시인.
35 佐藤春夫記念館. 1989년 개관. 와카야마현 신구시 소재.
36 熊野速玉大社. 와카야마현 신구시에 있는 신사(神社).

문학관과 같이 구[H] 마에다 후작 저택의 본채와 별채 같은 멋진 건축물을 전시시설로 사용하는 것도 마찬가지이다. 일상생활을 영위하기 위한 주거나 저택은 작가의 유고·유품류 전시에 적합하지 않다. 목조건축이 화재에 약한 것은 말할 필요도 없다. 통풍이 좋고 채광이 좋다는 것은 일본 주택이 가진 당연한 전제 조건이자 장점이다. 하지만 넓은 창은 전시공간을 좁게 하고, 자연광은 자료를 손상시킨다. 지금은 폐관한 도쿄도근대문학박물관[37]이 모든 창에 두꺼운 커튼을 쳤던 것도 이와 관련된 안타까운 고육지책이었다. 또한 주거가 용도에 따라 많은 방들로 구분되어 있는 것도 전시를 어렵게 하는 점이다. 작가의 옛집은 전시시설로는 적합하지 않다.

문학관에 필요한 공간과 설비

작가의 생가나 옛집을 보존하고 유지하는 것은 그 나름의 의의가 있다. 하지만 작가의 자료를 수집하고 보존하여 연구자에게 열람 자료로 제공하거나 전시를 통해 공개하여 작가의 업적

---

37 東京都近代文学博物館. 도쿄도 메구로구 고마바공원 내에 있던 문학관으로 1967년 4월 인접한 일본근대문학관과 동시 개관했으나 2002년 3월 폐관되었다. 자료는 일본근대문학관, 일본현대시가문학관, 실천여자대학 등으로 이관되었다.

을 소개하는 문학관과는 목적과 성격 모두 다르다. 문학관은 자료의 수집과 보존을 최우선시한다. 전시를 통한 작가의 업적 소개와 계몽, 보급은 문학관이 해야 할 필수 영역이지만, 이는 어디까지나 부차적인 것이다. 전시를 주된 사업이나 활동으로 하는 것은 문학관 본연의 책무가 아니다. 그렇지만 전시를 주 목적으로 하는 문학관이 수없이 만들어지고 있는 것도 사실이다. 그것의 의의를 부정할 생각은 없다. 하지만 이러한 문학관들의 경우에도 그에 적합한 시설이나 건물 역시 찾아보기 힘들다.

사이타마문학관에 학예담당 전문직원이 임명된 것은 개관을 몇 달 앞둔 때로 건물은 이미 완성되어 있었다. 전시실은 외관이 모두 유리로 되어 있었다. 이러한 곳에 육필자료를 전시하면 자료가 금방 손상되기 때문에 부득이하게 커튼을 쳤다고 한다. 커튼이 자료의 손상을 막기에 충분하지는 않지만, 그렇게 하지 않는 것보다는 훨씬 낫기 때문이다. 다른 문학관에서도 같은 문제로 인해 커튼을 치기로 했다가 건축가 때문에 무산된 적이 있다. 결국 그 문학관에서는 육필자료의 원본 전시는 포기하고 복제로 대신했다고 한다.

문학관이 본연의 목적을 다하기 위해 전시실을 비롯하여 어떠한 종류의 공간이 필요한지, 각각의 공간은 어떠한 요구에 맞춰 설계되어야 하는지 등에 대해 시행주체인 지방자치단체는 물론 설계를 담당하는 건축가도 모르는 것이 많다. 이와 같은 무지의 상태로 문학관이 완성되면 전시를 주 목적으로 한다고 해도 그 목적 달성은 어렵게 된다. 제대로 기능을 발휘하는 것이 불가능하게 되는 것이다.

예를 들면, 전시 교체를 위한 작업 공간이나 자료의 훈증 시설과 설비도 필요하고, 추후 자료의 증가를 고려한 수장고의 설계도 필수적인데, 이러한 것들이 문학관 건립의 기획, 설계 단계에서 충분히 검토되지 않는 경우가 너무나도 많다.

전시실과 수장고의 면적·비율

일본근대문학관 초창기 수장고의 면적은 1,520m²였다. 현재는 매년 증가하는 자료의 수용을 위해 만든 나리타 분관 446m²를 합쳐 2,000m²에 가깝다. 일본근대문학관의 전시실이 170m²임을 고려하면 수장고가 전시실의 10배를 넉넉히 초과한다.

『전국문학관협의회회보』제5호에 소속 문학관들의 전시실과 수장고 넓이가 공개되어 있는데, 이를 참조하면 일본근대문학관보다 넓은 수장고를 갖춘 곳은 가나가와근대문학관이다. 이곳의 수장고 면적은 2,255m²이다.

다만 이 문학관은 전시실 면적이 678m²로 일본근대문학관보다 약 네 배 크다. 또한 수장고는 전시실의 약 세 배이다. 필자가 생각하는 바람직한 수장고의 넓이는 전시 공간보다 최소 세 배가 커야 한다. 이러한 의미에서 가나가와근대문학관은 이상적이라 할 수 있다. 하지만 이곳의 전시실은 너무 넓은 것 같다. 필자는 이곳에서 개최된 전시를 여러 차례 관람한 바 있다. 체력 탓도 있었겠지만 보고 나면 항상 몹시 힘들고 피곤했다. 미술관과 달리 문학전시는 글자를 읽는 것이 전시를 보는 재미의 핵심이다. 따라서 전시 자료가 너무 많으면 눈과 발이 피로해지고 관람 도중 포기하고 싶은 마음이 들 수밖에 없다.

무샤노코지 사네아쓰[38] 기념관[39]은 전시실이 182m², 수장고가 285m²이다. 수장고가 충분하다고는 할 수 없지만 드물게 수장고가 전시실보다 넓은 문학관이다. 세타가야문학관은 전시실이 680m², 수장고가 345m²로 전시실보다 수장고가 많이 좁다. 홋카이도립문학관[40]은 전시실이 624m², 수장고가 532m²로 수장고가 좁지만 전시실 면적과 거의 비슷하다. 이 같은 넓이는 허용범위 내라고 할 수 있다. 시키기념박물관[41]은 전시실이 1,282m², 수장고가 357m², 야마나시현립문학관[42]은 전시실이 999m², 수장고가 235m², 쓰와노의 모리 오가이 기념관[43]은 전시실이 445m², 수장

---

38 武者小路実篤(1885~1976). 소설가, 시인, 극작가, 화가.
39 武者小路実篤記念館. 1985년 개관. 도쿄도 조후시 소재.
40 北海道立文学館. 1995년 개관. 홋카이도 삿포로시 소재.
41 子規記念博物館. 1981년 개관. 에히메현 마쓰야마시 소재.
42 山梨県立文学館. 1989년 개관. 야마나시현 고후시 소재.
43 森鴎外記念館. 1995년 개관. 시마네현 가노아시군 쓰와노정 소재.

고가 65m²이다. 이밖에도 얼마든지 들 수 있지만 문학관 수장고의 일반적 넓이는 전시실에 비해 매우 좁다. 이러한 상황이 그저 한탄스러울 뿐이다.

전시실과 수장고의 넓이, 각 문학관의 제휴

필자는 일본근대문학관의 170m²이나 무샤노코지 사네아쓰 기념관의 182m² 등 대략 200m²에 못 미치는 정도가 문학관 전시실 넓이로 가장 바람직하다고 생각한다. 이 정도의 넓이가 관람객에게 큰 감명을 주는 전시를 하기에 충분하다. 관람객이 꼼꼼히 전시물을 볼 수 있고, 적당히 피곤해질 무렵에는 관람을 마칠 수 있기 때문이다.

이보다 중요한 것은 관람객의 방문 빈도인데, 신선한 감동을 주기 위해서는 전시를 자주 교체하는 것이 좋다. 무샤노코지 사네아쓰 기념관에서는 연간 열 번 전시를 교체하는데, 이는 직원들의 각별한 노력 덕분이다. 400m² 이상 넓이의 공간에서 1년 동안 적어도 춘하추동 네 번 전시를 교체할 경우를 한번 생각해보자. 전시를 준비하는 직원들은 기획에서 전시물 디스플레이에 이르기까지 막대한 지혜를 짜내야 할 텐데, 이는 매우 벅찬 일이라 하지 않을 수 없다.

이는 또한 수장고 넓이와도 관련된다. 관람객이 방문할 때마다 새로운 전시를 볼 수 있다면 그 문학관은 관람객들에게 항상 신선한 흥미를 줄 수 있을 것이다. 이를 위해서는 연간 적어도 네 번 정도의 전시 교체가 바람직하다고 생각한다. 전시 교체를 위해 필요한 자료들은 문학관에서 소장하고 있는 것이 좋나. 수장고의 중요성에 대해서는 다른 곳에서 이야기할 예정이지만, 수장고가 좁고 소장 자료가 부족하면 전시교체 시 필요한 자료가 없을 수도 있다. 이런 경우에는 다른 문학관이나 자료 소유자에게 해당 자료를 빌려올 수밖에 없다.

필자는 많은 문학관이 모두 충분한 자료를 소장하고 있고, 문학관 상호 간 소장 자료들을 서로 융통하고 제휴·협력하여 기획하는 충실한 기획전 개최를 바라고 있다. 이러한 협력은 일부 문학관에서 이미 시작되고 있다. 여러 문학관이 일정한 기획과 각각의 소장 자료에 대한 상호 협력을 기반으로 순회전을 실시하는 것도 가능하지 않을까. 문학 자료를 전시하여 관람객에게 감명을 주는 것은 어렵다. 하지만 매력 있는 자료가 풍부하면 풍부할수록 관람객도 흥미를 가질 것이고 이렇게 되면 각 관의 비용 부담도 많이 줄어들 것이다. 전시 중심 문학관도 자주 전시를 교체하는 한편, 다른 쪽에서는 타 문학관과 제휴·협력하여 흥미로운 전시를 기획해야 한다. 이를 위해서는 전시를 중심으로 하는 문학관이라 해도 자료 수집에 힘쓰지 않으면 안 된다.

수장고의 중요성

필자는 문학관에 필요한 공간에 대해 건물 설계자가 고려하지 않는 것을 유감으로 생각한다. 건축가는 오로지 화제성이 풍부한 독창적인 건축물 설계에만 주의를 기울이고 있는 것 같다.

하지만 이러한 현실이 과연 건축가의 책임일까. 오히려 지방 자치단체의 기타 문학관 경영 주체 측이 문학관에 필요한 공간에 대해 이렇다 할 인식이 없다는 데 그 책임이 있는 것은 아닐까. 수장고 공간이 충분하지 않아도 집회실이나 연수실은 대부분 마련된다. 이는 문학관의 여러 역할 중 하나인 문화·문학 활동 진흥에 필요하기 때문이다. 이러한 시설은 지역주민들에게 쉽게 이해되고 받아들여질 수 있다. 하지만 이용 효율성 측면에서는 큰 문제를 갖고 있다.

다른 많은 사례와 같이 문학관의 가치는 겉으로 드러나는 전시보다는 보이지 않는 자산, 즉 소장 자료의 가치에 달려 있다. 문학관 소장 자료는 구입한 것도 있지만 기증·기탁받은 것이 정말 많다. 일본근대문학관의 자료 구입 예산은 미미한 수준이지만 매년 수많은 귀중 자료가 기증되고 기탁된다. 이는 일본근대문학관을 운영해온 선배들이 40년 가깝게 쌓아온 신용 덕택이다. 이러한 신뢰는 자료 소장과 관리에 대한 본연의 태도에서 비롯된다. 수장고의 존재는 시설에 대해 안정감을 갖게 하는 보증수표이다. 집에 두는 것보다 안전할 것이라는 신뢰인 것이다. 또한 관리와 보존도 전문직원의 지식과 경험에 대한 믿음에 바탕을 두고 있다. 전문직원의 문제는 별도로 한다 해도, 수장고의 충실한 완비야말로 풍부한 자료 수집을 위한 첫 걸음이다.

건물 설계 시 고려 조건

문학관 건물 설계를 의뢰하거나 공모할 때 문학관 성격에 대한 개념이 명확하지 않으면 건축가에게 필요한 조건을 제시할 수 없다. 자료 수집과 보존, 열람이나 이용을 중심으로 하는 도서관 기능이 핵심인가. 계몽·보급·현창 등을 위한 전시 중심의 박물관 기능이 핵심인가. 문학연구·문학활동의 중핵적 기능이 핵심인가. 이들 모두를 겸하는 것은 불가능하다. 그렇다면 어떻게 균형을 잡아야 할까. 이러한 점들을 충분히 검토하고 지정학적 위치와 부지 조건, 가장 중요한 예산, 그것도 개관 후의 유지·관리 비용까지 고려해야 비로소 설계자에게 제시할 조건이 정해진다.

그렇다 해도 수장고의 중요성은 아무리 강조해도 지나치지 않다. 전시 중심의 박물관 기능을 목적으로 하는 문학관이라 해도 소장품이 없는 전시는 불가능하다. 자료를 보관하는 수장고와 이를 다루는 직원이야말로 문학관 활동의 기반이다.

문학은 읽는 것이지 보는 것이 아니다(라고 하지만 필자는 문학이 귀로 듣는 것이었으면 좋겠다). 따라서 전시를 중심으로 하는 박물관 기능에 충실한 문학관이라 하더라도 관람객들은 소수의 문학 애호가에 지나지 않는다. 일반 시민을 대상으로 한 도서관일 경우, 많은 시민들이 찾는 도서와 잡지를 갖추면 자연스럽게 이용자가 생겨 공공 서비스의 의미를 갖게 된다. 하지만 문학관 이용자는 도서관에 비해 제한적인 것이 사실이다. 문학관의 수준은 귀중자료의 소장 여하에 달려 있는데, 그것이 바로 수장고의 질을 담보하는 전제조건이 된다.

4. 문학관 인력

직원의 역할과 중요성

문학관에도 박물관이나 미술관과 같이 학예사라고 해야 할 전문직원이 반드시 있어야 한다. 일본근대문학관에서는 문학관연습과 연구강좌를 열고 있는데, 각각 대학원생과 문학관 직원이 주 대상이다. 매년 연습이 닷새, 강좌가 사흘 동안 개최되는데, 보다 내실을 기하기 위해 궁리를 거듭하고 있다.

이들 강좌의 절반 가량은 일본근대문학관 직원들이 강사를 맡고 있다. 문학관 업무의 기초라고 할 수 있는 자료 수집과 정리, 보존, 열람, 전시 등의 방면에서 일본근대문학관이 축적한 지식과 경험을 다음 세대 또는 다른 문학관 종사자들에게 전달하기 위해서다. 물론 일본근대문학관 이상의 지식과 경험을 가진 분들이 가나가와근대문학관을 비롯한 다른 문학관에도 매우 많다는 것을 잘 알고 있다. 하지만 가르친다는 것은 자신의 지식과 경험을 조리 있게 정리하여 그것을 알기 쉽게 일반화하는 것인데, 강의를 통해 일본근대문학관 직원들은 스스로 공부하는 기회를 얻는 것이다. 이런 뜻에서 일본근대문학관 직원들에게 다수의 강좌를 맡기는 것이다.

다만 전국 문학관 중에는 직원이 한두 명인 곳도 많다. 이분들이 문학관에 대한 새로운 지식과 경험을 배우기 위해 일주일 가까이 문학관을 비우고 일본근대문학관에 강의를 들으러 오는 것은 현실적으로 거의 불가능에 가깝다. 다른 문학관에도 풍부한 지식과 경험을 가진 직원들이 있으니, 이들이 서로 정보를 교환하고 상호 계발할 수 있는 기회가 더욱 자주 있었으면 좋겠다. 일본근대문학관의 문학관연습이나 연구강좌와 같은 일방통행식 강의가 아닌 열려 있는 자유로운 장이 필요하다. 전국문학관협의회가 지향하고 있는 목표 가운데 하나도 이것인데, 현실은 만만치 않다. 단 이상 없는 실행은 있을 수 없다.

학예사, 전문직원의 책무

필자는 문학관 학예사라는 전문직원이 대학 교원이 되거나 혹은 그 반대가 되는 방식으로 학계와 문학관이 서로 교류하는 것을 희망한다.

문학관의 전문직원은 근현대 일본문학에 대한 기초 지식과 특히 전공분야에 깊은 조예를 갖추어야 한다. 직원들이 문학관의 기요와 도록, 간행물 등에 자신의 연구 성과를 발표하고, 그것이 비판과 평가를 받는 시대가 오기를 바라마지 않는다.

그렇지만 문학관에는 학예사라는 전문직원만 있는 것은 아니다. 문학관에는 안내데스크부터 자료 수납과 데이터 입력, 정리, 경리, 건물과 시설의 유지·관리 등에 이르기까지 다양한 업무가 있다. 열람자에 대한 복사 서비스와 우편물이나 간행물 발송도 중요한 업무다. 학예사·전문직원도 이러한 잡무를 능숙하게 처리할 수 있는 능력이 있어야 한다.

학예사·전문직원과 잡무를 담당하는 일반 사무직원 등 두 직렬이 함께 있을 때, 문학관 활동에서 가장 흥미롭고 대외적으로도 돋보이는 것은 전자의 업무이다. 일반 사무직원은 사실 보이지 않는 곳에서 애쓰고 노력하는 사람들이다. 이러한 식으로 직원들 사이에 과연 융화가 이루어질까. 직원들 서로 간의 절차탁마를 기대할 수 있을까. 나아가 각자가 삶의 보람을 느끼는 업무가 가능할까. 필자는 인간의 삶에서 무의미한 경험은 없다고 믿는다. 일의 숙련도는 어쩔 수 없지만 문학관 직원은 두루두루 능숙한 능력의 소유자였으면 좋겠다.

필자는 문학관이 신뢰받는 시설이 될 수 있는지 아닌지는 문학관에 과연 적절한 직원이 있는지 없는지 여부에 달렸다고 믿는다.

5. 문학관 재정

문학관의 수입과 지출

문학관은 일반적으로 지출이 수입에 비해 5배 내지 10배 정도 많다. 예컨대 일본근대문학관에서는 나쓰메 소세키[44]의 「미

---

44 夏目漱石(1867~1916). 소설가, 평론가, 영문학자.

치쿠사道草」원고를 비롯해, 미술품으로 치면 중요문화재급의 자료를 다수 소장하고 있다. 하지만 이들은 전집에 수록되어 있어 열람을 요청하는 연구자는 몇 년에 한 명 있을 정도이다. 이러한 자료들에 대한 주도면밀한 주의와 보존에 일본근대문학관의 존재 의의가 있다. 그런데 자료를 잘 보존한다고 해서 이것이 수입과 연결되는 것은 아니다. 이런 사정은 모든 문학관에 해당될 것이다.

재단법인 가나가와문학진흥회 홈페이지의 2009년도 사업보고서 및 결산보고서를 통해 가나가와근대문학관의 경영 상태를 살펴본 적이 있다. 이에 따르면, 2009년 4월 1일부터 2010년 3월 31일까지 1년간 사업 활동 수입의 총액은 469,954,718엔, 약 4억 7천만 엔이다. 그 내역을 보면, 위탁관리료 등의 항목이 405,287,000엔, 즉 4억 엔 남짓을 위탁관리료 등의 명목으로 가나가와현에서 받았음을 알 수 있다. 자체 사업 수입은 10,605,179엔, 즉 1천만 엔이 약간 넘는다. 이처럼 현으로부터 막대한 금액의 원조를 받아 문학관을 운영할 수 있다는 것은, 공적 지원을 전혀 받지 않는 일본근대문학관 관계자로서는 부럽기 그지없었다. 하지만 필자는 일본근대문학관 이사장으로 있을 당시 재정적으로 어려운 상황에서도 지자체 등의 지원 없이 문학관의 자주적 운영에 특히 주력한 바 있다.

다음으로 가나가와문학관의 지출을 보자. 재단본부 관계 인건비가 5,900,677엔, 위탁관리비 관계 인건비가 256,221,157엔으로, 인건비 총액은 2억 6천만 엔을 넘는다. 또한 위탁관리비 중 유지비가 108,788,895엔으로 1억 엔을 넘는다. 이에 비해 전시비는 33,917,788엔, 약 3천 4백만 엔에 불과하다. 자료 조사와 수집, 정리비는 2,880,418엔, 자료관리업무 선산화사업비는 16,177,499엔이다. 문학관 본연의 사업 예산이 적은 것은 차마 보기 민망할 정도이다. 인건비나 건물유지비에 수입의 대부분이 할당되어 있는 셈이다. 이러한 상황은 문학관의 재정 상태가 불건전한 것은 아닌지 혹은 이러한 문학관을 유지할 가치가 있는지 같은 비판의 목소리가 시민들 사이에서 나온다 해도 하등 이상할 것이 없다. 그러한 비판에 대한 변명은, 문학관은 수지가 맞는 시설이 아니라는 점이다. 하지만 이를 납득시키기는 쉬운 일이 아닐 것이다.

문학관의 시설 유지비와 인건비

가나가와근대문학관의 수입과 지출 현황은 문학관이 수지타산이 맞는 시설이 아님을 증명하기 위한 적당한 예가 아닐 지도 모른다.

가나가와근대문학관의 너무 넓은 전시실 면적에 대해서는 앞서 말한 바 있다. 필자는 나카노 고지[45] 씨가 그곳의 이사장으로 있을 때 방문한 적이 있다. 이사장실은 큰 은행의 행장실에 견주어 도 손색이 없을 정도로 넓고 호화로웠는데, 그 안에는 나카노 씨의 자리밖에 없었다. 나카노 씨가 벨을 누르자 잠시 후 별실에서 젊은 여성이 나타났다. 나카노 씨가 "커피 좀 가져다주게"라고 하자 잠 시 후 그녀가 커피를 내왔다. 필자는 나카노 씨가 마치 왕후귀족과 같다고 느꼈다. 이사장실 옆 회의실도 큰 기업의 위원회의실같이 중후하고 호사스러웠다. 『전국문학관협의회회보』제5호에 따르 면, 가나가와근대문학관 건물의 연면적은 7,285m²이고, 직원은 33명이다. 회보가 발행된 1997년보다 직원 수는 줄었을 수도 있 지만, 그때 일본근대문학관 직원 수는 12명이었다. 건물 설비가 거대하고 전시실도 넓으면 그만큼 많은 직원이 필요해진다. 하지 만 문학관은 수지타산이 맞는 시설이 아니기 때문에 건물도 이유 없이 클 필요가 없고 직원 역시 최소한으로 해야 한다.

사이타마문학관의 경우를 보자. 『사이타마문학관관보』제13 호에 따르면, 예산이 과거 5년간 해마다 줄어 2010년도 예산은 196,039,000엔이다. 약 2억 엔이다. 내역을 보면, 급여비가 82, 747,000엔, 시설관리비가 65,545,000엔으로, 총 1억 5천만 엔 에 가깝다. 가나가와근대문학관과 마찬가지로 예산의 대부분이

---

45 中野孝次(1925~2004). 작가, 독문학자, 평론가. 1993년부터 2004년까지 가 나가와근대문학관의 관리・운영 주체인 공익재단법인 가나가와문학진흥회 의 이사장을 역임했다.

인건비와 건물의 유지관리비에 사용되고 있다. 전시실 운영비는 6,755,000엔에 불과하다. 이 자료를 통해 전시 수입은 알 수 없다. 하지만 전시실 연간 이용자가 8,947명인데, 그중 무료이용자가 7,237명이라는 점은 수입의 정도를 대략 짐작할 수 있게 한다. 다만 이 문학관은 많은 문학강좌 개최와 도서관 병설 등을 통해 이용자 증대에 노력하고 있어 전시실 관람객 수만으로 비용 대비 효과를 속단할 수는 없다. 하지만 이러한 재정 상태로 과연 주민들의 지지를 얻을 수 있을까.

문화는 대부분 채산이 맞는 곳에서 생겨나는 것이 아니다. 또한 문학관은 채산이 맞는 시설이 될 수 없다. 지방자치단체의 재정은 매년 궁핍해지고 있고, 독지가의 선의도 기대하기 힘들다. 따라서 문학관 관계자들은 당연히 비용 절약에 최선을 다해야한다. 이러한 상황에서도 문학관의 재정적 지출이 시민, 연구자들에게 이해와 지지를 받을 수 있도록 많은 노력을 기울여야 한다. 이는 결코 쉽지 않은 일이지만 문학관 관계자들은 그 어려움에 도전해야 하는 것이다.

제2장

자료

/

「문학관학 입문의 밑그림을 위하여「총론」」에 이어「문학관학 입문의 밑그림을 위하여「자료편」」을 『전국문학관협의회회보』에 싣게 되었다.[1] 『전국문학관협의회회보』제40호에 실린「자료」편은 2001년 5월호부터 2008년 7월호까지 42회에 걸쳐『일본근대문학관』에 연재한 것을 모은 것이다.

제1장「총론」이 16회 연재에 그친 데 비해「자료」편은 그 두 배 반이 조금 넘는다. 자료의 수집·정리·보존이야말로 문학관 활동의 핵심이다. 그만큼 살펴보아야 할 문제가 많아 더 많은 지면이 필요했던 것이다.

머지않아 이 '밑그림'이 뒷사람에 의해 '입문'으로 발전하고, 나아가 '문학관학'이 확립되는 데 하나의 초석이 되기를 바란다. 우선은 전국문학관협의회 소속 문학관 관계자 분들께 자료 문제를 정리하는 실마리가 될 수 있다면 다행이겠다.

---

1   저자는 1998년 9월부터 2001년 3월까지『일본근대문학관』에 연재한「총론」을 묶어『전국문학관협의회회보』 제17호에 게재했다.

1. 자료 수집

문학 자료란 무엇인가

지방자치단체의 문학관 건립은 일반적으로 다음과 같은 단계로 진행된다. 먼저 건축가에게 건물의 설계를 의뢰한다. 다음으로 전시업자로부터 전시 계획을 받아 심의를 통해 적절한 전시안을 선정한다. 그리고 결정된 전시안과 건물의 전시 공간에 맞춰 전시해야 할 자료를 수집한다. 필자는 이 순서가 거꾸로 되어 있다고 생각한다. 문학관의 첫 번째 존재 의의는 문학 자료를 수집·보존하여 연구자 등에게 열람 자료로 제공하는 것에 있다. 컬렉션 없는 미술관이 전시홀에 불과한 것과 마찬가지로 문학 자료가 없는 혹은 빈약한 문학관은 그 이름에 전혀 어울리지 않는다.

문학 자료란 도서, 잡지, 원고, 창작노트, 메모류, 일기, 편지, 자필 서화는 물론 작가가 애장하고 있던 서화, 필기구 등 일상용품을 모두 포괄한다. 일본근대문학관에서는 도서, 잡지를 제외한 원고와 기타 자료를 특별자료라고 한다. 자료의 성질에 따라 수집과 정리, 보관, 이용 등이 모두 다르기 때문에 이들을 일률적인 방식으로 다룰 수는 없다.

특정 문인의 기념관은, 그 문인이 간행한 모든 단행본과 생전·사후 간행된 전집, 선집, 문고판, 나아가 그의 작품이 수록된 문학전집, 앤솔로지를 포함한 관련 연구서, 평론, 회상 등의 전기적 자료까지 수집해야 한다.

지역문학관의 경우라면 그 지역 출신 문인 관련 도서가 우선 수집 대상이다. 다음으로 짧은 기간이라도 거주·체재했거나 혹은 여행을 하여 그 지역과 관련된 중요한 작품을 남긴 작가 관련 도서들까지 모아야 한다. 지역 출신 혹은 연고 문학자는 그 수가 많기 때문에 모두를 대상으로 할 수는 없다. 작가에 대한 취사선택이 필요할 수밖에 없는데, 이는 매우 곤란한 일이 아닐 수 없다.

지역 연고 문인 관련 자료

홋카이도문학관을 예로 들어 지역문학관과 연고 문인과의 관계에 대해 설명해보자. 홋카이도는 이토 세이,[2] 고바야시 다키지,[3] 오구마 히데오,[4] 가메이 가쓰이치로[5] 등 출신 문학자는 물론 아리시마 다케오, 이시카와 다쿠보쿠[6] 등 연고가 있는 문인도 매

2   伊藤整(1905~1969). 소설가, 시인, 평론가, 번역가.
3   小林多喜二(1903~1933). 소설가.
4   小熊秀雄(1901~1940). 시인, 소설가, 화가.
5   亀井勝一郎(1907~1966). 평론가.
6   石川啄木(1886~1912). 가인, 시인.

우 많다. 필자는 아리시마 다케오를 이른바 홋카이도문학의 창시자로 꼽을 수 있을 만큼 중대한 역할을 한 사람으로 평가한다.

하지만 그와 같이 전국적으로 저명한 문학자는 일단 논외로 하자. 그렇다면 사라시나 겐조[7]는 어떠할까. 사라시나 겐조는 앞의 작가들에 비해 전국적 지명도는 낮지만 작품성이 매우 뛰어나며 홋카이도문학에 크게 공헌했다. 따라서 홋카이도문학관이 사라시나 겐조를 수집 대상 작가로 한다 해도 하등 이상할 것이 없다. 전국적으로 알려져 있지는 않아도 특정 지역에서 활발하게 활동하여 뛰어난 작품을 남긴 문인은 상당히 많을 것이다. 어떤 면에서 그 문학관의 견식은 많은 작가들 중에서 누구를 고르는가 하는 점에 있다고도 할 수 있다. 하지만 특정 지역에서만 아는 뛰어난 문인의 기념을 위해 자료를 수집하고 나아가 전시 대상으로 하는 것도 해당 지역문학관의 사명이다. 작가 선정 과정에서 상당한 독단과 편견도 있을 수 있다. 모두를 만족시킨다는 것은 사실 불가능한 일이다. 따라서 지역문학관은 처음부터 이를 잘 인식하여 일정한 비난을 듣는 것도 감내할 수 있는 각오를 다져야 한다.

다카무라 고타로[8]도 홋카이도와 연고가 있는 작가라 할 수 있다. 그는 젊었을 때 홋카이도에 이주하여 목축을 하는 한편 조각

---

[7]　更科源藏(1904~1985). 시인, 아이누문화 연구가.
[8]　高村光太郎(1883~1956). 시인, 가인, 조각가, 화가.

가를 향한 꿈을 키웠다. 하지만 이것이 현실적이지 않음을 깨닫고 도쿄로 돌아와 『도정』에 「목소리」라는 시를 발표했다. 홋카이도문학관에서 꼭 다카무라를 자료 수집이나 전시 대상 작가로 할 필요는 없다. 그렇지만 지역문학관은 대상 작가의 취사선택에 나름의 소신과 용기가 있어야 한다.

수집해야 할 자료−초판본

개인 문학자 기념관이나 지역문학관 등 문학관에서 수집해야 할 대상 도서 중 가장 첫 번째로 들 수 있는 것은 초판본이다. 초판본은 유포본[9]과 비교 연구를 통해 작품의 퇴고 과정을 알 수 있는 연구 자료가 된다는 점에 그 의미가 있다. 퇴고에 대해서는 이후 원고와의 관계에서 살펴보기로 하자. 초판본에는 레이아웃, 장정, 삽화 등에 이르기까지 작가, 시인의 의도가 반영되어 있는 경우가 많다. 나가이 가후,[10] 다니자키 준이치로[11] 등의 저서를 비롯해 하기와라 사쿠타로[12]의 『달에게 짖다』, 『푸른 고양이』 이

---

9   流布本. 한 작품의 여러 판본 중 가장 널리 보급된 판본. 통행본(通行本)이라고
     도 한다.
10   永井荷風(1879~1959). 소설가.
11   谷崎潤一郎(1886~1965). 소설가.
12   萩原朔太郎(1886~1942). 시인.

하 여러 작품에서 그러한 사실을 명확히 알 수 있다. 또한 초판본에는 각 시대별 인쇄, 제본 등의 기술과 당시의 취미, 기호가 반영되어 있다. 바로 이 점이 초판본을 직접 대하는 기쁨이자 일본근대문학관이 일찍부터 명저 복각전집을 간행한 까닭이다.

하지만 초판본을 단 하나로 속단할 수는 없다. 이는 소세키 초판의 복각판 제작을 맡았을 때에는 일본근대문학관 직원이었고 이후 가나가와근대문학관의 사무국장을 역임한 구라 가즈오 씨가 알려준 것이다. 그에 의하면, 초판본이라 인쇄되어 있어도 여러 권을 비교・검토하지 않으면 진짜 초판본을 확정할 수 없었다고 한다. 당시에는 활자를 짜 판을 만들고 인쇄기에 걸어 인쇄하는 동안 활자의 탈락이나 돌출이 자주 있었기 때문이라는 것이다. 기타가와 다이치[13] 씨의 다카무라 고타로의 『지에코초』 판본 조사도 시사하는 바가 크다. 류세카쿠에서 간행된 초판 제1쇄에는 오식이 많다고 직접 작가가 언급한 바 있고, 그 후 조금씩 개정되어 제8쇄와 제9쇄 사이에서 완전히 개판改版되었다고 한다.

따라서 판권면을 신뢰하여 초판으로 그대로 믿어버리는 위험과 초판 제1쇄에 있기 쉬운 오식을 감안하고 초판본을 보아야 한다.

---

13 北川太一(1925~). 문예평론가.

수집 도서 원형 보존

도서 보존에 있어 도서관과 문학관의 차이는 다음과 같다. 도서관에서는 도서의 본체만을 보존하고 케이스, 띠지, 자켓류는 파기한다. 그에 비해 문학관은 이른바 원형 보존의 방식을 취한다. 즉 책갈피, 월보[14] 등의 삽입물까지 전체를 보존하는 것이다. 문학관의 고서에 대한 가치 평가는 바로 이 도서의 원형 보존과 관련이 있는데, 그 방침이 고서점의 가격 산정 방식과 동일하다. 즉 문학관은 원형이 잘 보존되고 더러움이나 얼룩이 적은 책을 손에 넣고자 노력하는 것이다.

그 이유는 책의 장정과 제본에 저자의 취미·기호가 반영되어 있는 경우가 많기 때문이다. 또한 띠지의 글도 작가 자신이 쓴 것이거나 그렇지 않으면 저자나 작품의 주제가 반영되어 있는 것이 일반적이기 때문이다.

책갈피나 월보도 역시 책의 일부를 이루는 정보라고 할 수 있는데, 서문·발문 등과 비슷한 가치를 갖고 있다. 이와 관련하여 나카하라 추야의 『산양의 노래』에 들어 있는 책갈피가 생각난

---

14 문학전집류가 한꺼번에 전질이 간행되지 않고 달마다 조금씩 발행될 때, 그 달에 발행되는 전집에 부록으로 넣는 별쇄 인쇄물. 일본에서는 1920년대 후반 가이조샤와 슌요도에서 첫 본격적인 문학전집류가 기획될 때 등장했다고 한다. 한국에서도 전집류에 월보가 들어 있었는데, 대표적인 것이 1960년대 삼중당에서 간행된 『이광수전집』의 월보였다.

다. 호리우치 다쓰오 씨가 무기쇼보에서 낸 복각판은 너무나도 호리우치 씨답게 세심하고 철저하게 만든 것인데, 책갈피는 들어 있지 않다. 호리우치 씨가 저본으로 한 나카하라 가 소장본에는 책갈피가 보존되어 있지 않았기 때문이다. 일본근대문학관이 발행한 『산양의 노래』 복각판에는 책갈피가 있다. 그런데 이 책갈피가 필자 소장본을 복각한 것이라는 사실을 최근에야 알게 되었다. 200부 한정의 『산양의 노래』가 완전한 형태로 현존하는 것은, 현재 알려져 있는 한 필자가 소장한 한 권뿐이라고 한다.

원래 이 책갈피에는 가와카미 데쓰타로[15]가 쓴 불과 다섯 줄의 문장과 추천자 이름, 정가, 출판사 등이 기록되어 있을 뿐이다. 더구나 이 다섯 문장은 『사계』 1935년 1월호에 실린 것을 옮긴 것에 불과하다. 따라서 책갈피가 없어도 무방하지만 이러한 사실을 알기 위해서는 책갈피를 보아야만 하는 것이다.

수집해야 할 자료-첫 발표 지면

문학관이 도서 다음으로 수집해야 할 것은 잡지, 특히 작품이 처음 발표된 잡지이다. 작품의 첫 발표 지면과 단행본 정본을 비교해 보면 퇴고 과정을 알 수 있는 단서를 얻을 수도 있다. 퇴고

---

15 河上徹太郎(1902~1980). 문예평론가, 음악평론가.

에 대해서는 나중에 살펴보기로 한다. 작품이 처음 발표된 잡지는 그 작품이 처음 발표될 당시의 문학적·시대적 환경 속에서 그 작품을 이해하는 실마리를 제공해준다는 점에서 의미가 있다. 모든 문학 작품은 그 시대 및 환경과 깊은 관련을 갖고 있기 때문이다.

필자는 고모로의 시마자키 도손 기념관[16]에서 시마자키 도손[17]의 「지쿠마강 여정의 노래」첫 발표 지면이 1900년 4월 1일자 타블로이드판 『명성』이라는 것을 처음으로 알게 되었는데, 그때까지 시마자키 도손과 『명성』과의 이러한 관계에 대해 전혀 몰랐다. 도손은 고모로 시대에 산문 습작을 비롯해 『파계』 집필을 시작한다. 일본 자연주의문학 탄생의 금자탑이라 해야 할 『파계』에 착수할 무렵 도손이 『명성』과 이러한 작품 발표 관계를 갖고 있었다는 것은, 우리들에게 문학 사조는 보다 거시적인 관점에서 재검토하지 않으면 안 된다는 것을 알려준다.

같은 의미에서 『편년체 다이쇼문학전집』도 흥미롭다. 제1권을 예로 들어 보자. 소설에서는 모리 오가이[18]의 「아키쓰야고에 몬의 유서」, 시가 나오야[19]의 「오오쓰 준키치」, 다니자키 준이치로의 「악마」, 나가이 가후의 「첩의 집」, 가사이 젠조[20]의 「슬픈 아

16 藤村記念館. 1958년 개관. 나가노현 고모로시 소재.
17 島崎藤村(1872~1943). 시인, 소설가.
18 森鴎外(1862~1922). 소설가, 평론가, 번역가, 육군 군의.
19 志賀直哉(1883~1971). 소설가.
20 葛西善蔵(1887~1928). 소설가.

버지」 등이, 시가에서는 오오테 다쿠지[21]의 「쪽빛 두꺼비」, 사이토 모키치[22]의 『붉은 빛』, 이이다 다코쓰[23]의 『산려집』이 1912년에 각각 발표·간행되었음을 확인할 수 있다. 1912년이라는 시대 상황이나 현실 속에서 이들 작품을 살펴보면, 우리는 한쪽에 치우친 관점을 가진 것 같다. 이는 폭넓은 시선으로 쓰여진 문학사를 접하시 못했기 때문일 것이다.

작품의 첫 발표 잡지를 보는 의미 가운데 하나는 작가의 창작 배경을 둘러싼 시대 환경에 대해 알 수 있다는 것이다.

첫 발표 지면 수집의 의의

어떤 문학 작품이든 첫 발표 지면은 그 작품 연구를 위한 필수 자료가 된다. 이는 퇴고 과정과 작가의 문학적 교우 관계, 문학적 풍토를 알 수 있는 자료가 되기 때문이다.

어떤 작품이 잡지나 신문 등에 발표되면 그 작품은 나중에 단행본에 수록될 때 퇴고가 이루어진다. 그런데 이때 변이가 생기는 일이 많다. 오오카 쇼헤이[24] 씨는 「들불」을 비롯한 대표작들

---

21 大手拓次(1887~1934). 시인.
22 斎藤茂吉(1882~1953). 가인. 의사.
23 飯田蛇笏(1885~1962). 하이쿠 작가.
24 大岡昇平(1909~1988). 소설가, 평론가, 불문학자.

을 첫 발표 이후 판을 거듭할 때마다 다시 손봤다고 한다. 필자가 『나카하라 추야 전집』의 편집에 참여했을 때, 교정쇄 단계에 이르자 원래 문장의 흔적이 남아 있지 않을 정도로 고쳐진 것을 보고 놀랐던 기억이 있다. 필자는 출판사와 인쇄소를 생각해 도저히 그와 같이는 할 수 없다. 하지만 오오카 씨는 다시 낼 때마다 당시 가졌던 생각을 충실하게 표현해야 한다고 생각했던 것 같다.

큰 출판사의 문예지를 논외로 하면, 작품의 첫 발표지가 동인지인 경우도 많다. 이 경우, 퇴고 상황을 보는 의미도 물론이거니와 동인지의 특성상 어떠한 문학적 교우관계 속에서 창작되었는지를 알 수 있다는 점에서도 중요한 의미를 갖고 있다. 그런데 동인지가 완전한 형태로 보존된 것은 흔치 않을 뿐더러 그것을 찾는 것도 결코 쉽지 않다.

하이쿠문학관의 오카다 니치오[25] 씨에게 들은 것인데, 하이쿠문학관은 매달 약 600권의 하이쿠 결사지結社誌를 기증받아 정리한다고 한다. 2천 종이 넘는 문학 동인지나 결사지 중 어느 것이 후일 중대한 의의를 가질 지는 예측할 수 없다. 문학사상 중대한 의의를 가진 다이쇼-쇼와[26] 초기 이후 나온 잡지가 점점 흩어져

25 岡田日郎(1932~). 하이쿠 작가.
26 다이쇼(大正)와 쇼와(昭和)는 모두 일본의 연호이다. 기간은 각각 다음과 같다. 다이쇼: 1912년 7월 30일~1926년 12월 25일, 쇼와: 1926년 12월 25일~1989년 1월 7일.

없어지고 있다는 위기감에서 일본근대문학관의 활동이 시작된 것이다. 이는 마치 큰 바다의 물을 양동이로 푸는 것과 같은 일이다.

수집해야 할 자료―원고

작가의 원고는 여러 의미에서 문학관이 소장에 힘써야 할 귀중한 자료이다.

나카하라 추야의 유고 대부분은 오랫동안 유족인 나카하라 미에코 씨가 갖고 있었는데, 현재는 야마구치시가 소장하고 있다. 그 유고 속에 「겨울의 조몬쿄」 초고가 있다. 이는 작가 사망 후 작가에게 시고詩稿를 부탁받은 고바야시 히데오[27]가 소겐샤에서 낸 시집 『지난날의 노래』에 실려 있는 것의 초고이다. 작품 끝에 1936년 12월 24일이라는 날짜가 있는데, 『지난날의 노래』에 수록되지 않은 「여름밤의 박람회는 슬프지 않았느냐」 초고도 한 날이다. 나카하라 추야의 장남 후미야가 같은 해 11월 10일에 죽었기 때문에, 두 편 모두 후미야 사후 40여 일이 지난 시점에 집필되었음을 알 수 있다. 원고에는 이와 같이 집필 시기에 대한 정보가 담겨 있다.

---

[27] 小林秀雄(1902~1983). 평론가, 편집자.

이 원고는 사진판으로 여러 차례 소개된 바 있어 아는 사람이 많을 것이다. 모필毛筆로 된 필적이 매우 어지럽고 퇴고 흔적도 뚜렷하다. 「여름밤의 박람회는 슬프지 않았느냐」도 마찬가지로 모필 필적이 매우 혼란스럽고 대부분 퇴고가 이루어져 있다. 나카하라가 펜글씨로 쓴 시고 등은 ⏤ 필적이 대단히 단정하다. 모필로 쓰인 것은 이 두 편 외에 후미야의 죽음 직후 일기에 쓴 「후미야의 일생」뿐이다.

다음 해인 1937년 1월 9일 지바시 나카무라고교요양소에 입원해 신경쇠약 치료를 받고, 2월에 퇴원, 같은 해 10월 22일 영면하는 나카하라는, 「겨울의 조몬쿄」 집필 당시 이미 정신 이상과 환청·환시 증상을 보였다. 그러한 상황에서도 이 정도의 작품을 쓸 수 있었던 것은 물론 그의 타고난 문학적 능력에서 비롯된 것이다. 하지만 어지러운 필적은 측은하고 애처롭다. 또한 「여름밤의 박람회는 슬프지 않았느냐」가 후미야를 회상한 작품인 것으로 보아 「겨울의 조몬쿄」도 장남의 죽음이 창작 동기였다는 상상이 가능할 것이다.

원고에서 볼 수 있는 퇴고 과정의 의의

나카하라 추야의 「겨울의 조몬쿄」 초고와 관련하여 가장 흥미

깊은 것은 퇴고 과정이다.

　이 작품의 제1연은, 초고에서는 '조몬쿄에 물은 흐르고 있었네 長門峽に、水は、流れてありき。 / 춥고 추운 날이었네寒い寒い日なりき'로 되어 있다. 퇴고 과정을 보면, 제1행의 '흐르고 있었네流れてありき'가 '흐르고 있더라流れてありぬ'로 정정되었고, 『지난날의 노래』에서는 다시 '조몬쿄에 물은 흐르고 있었네 그려長門峽に、水は、流れてありにけり'로 고쳐 섰나. 즉 '있었네ありき'에서 '있더라ありぬ'로, '있더라ありぬ'에서 다시 '있었네 그려ありにけり'로 퇴고가 된 것이다.

　현대 독자들에게 문어文語에서 과거형의 용례별 사용은 그 의미의 차이를 변별하기가 어렵다. 『이와나미 고어사전』 기본조동사 해설에 따르면, '키き・케리けり'는 '기억 혹은 깨달음의 조동사라 해야 함'이라고 되어 있다. '춥고 추운 날이었네寒い寒い日なりき'에서는 정말 그러한 과거의 한 시점을 환기하는 조동사로 '키き'가 사용되어 있다. 같은 해설에서 '누ぬ'의 본래 역할은 '동작・작용・상태의 완료'를 나타내는 것이라고 하는데, 이는 '누ぬ'가 완료조동사로 불리는 이유가 된다. '니케리にけり'도 '대부분 자연 추이의 뜻을 나타내는 동사 밑에 붙어 '다시 보니 ～였다'라는 확인과 또한 강하게 영탄하는 의미'라고 한다. 조몬쿄에 물이 흐르던 기억을 환기하여 '키き'를 썼는데 단순히 완료형으로 표현한 것이 적절치 않다고 생각해 다시 '누ぬ'로 고친 것이다. 그 후 '흐르고 있었다'라고 확실히 한 뒤 강한 영탄의 뜻을

담아 '니케리^{にけり}'로 정정한 것이다. 단순한 조동사의 퇴고에
불과하다고 할 수 있지만, 퇴고가 거듭되면서 점차 시인의 의도
가 명확해지고 있음을 볼 수 있다.

퇴고 과정은 작가의 의도를 이해하고 해석하는 바탕이 된다.
원고를 보고 그 자체가 가진 어떤 흥취에 도취될 때가 있을 정도
로 작가의 원고는 귀중한 자료이다. 「겨울의 조몬쿄」 초고는 이
를 보여주는 하나의 사례인 것이다.

수집해야 할 자료-창작노트, 메모류

원고 이전의 창작노트와 수첩류도 문학 작품의 창작과 퇴고
과정을 알려주는 중요한 자료이다.

몇 해 전 가나가와근대문학관에서 '일본의 시가'전展이 개최
되었을 때의 일이다. 필자는 전시된 미즈하라 슈오우시[28]의 구첩
句帳에 작은 글자로 한 페이지에 수십 구가 쓰여 있던 것에 깜짝
놀란 적이 있다. 졸저『문학관 감상기행』에 쓴 일본현대시가문
학관의 '나카무라 구사타오'[29]전도 잊을 수 없다. 구사타오의 구
첩과 도록을 통해『장자莊子』표제구 초안에서 완성된 원고에 이

28　水原秋桜子(1892~1981). 하이쿠 작가, 의사.
29　中村草田男(1901~1983). 하이쿠 작가.

르는 퇴고 과정을 볼 수 있었기 때문이다.

두꺼비처럼 장남은 집에 남겨졌다
蟾蜍長子は家に遺されぬ

로 된 초안에서 시작하여

두꺼비처럼 장남은 집에 머물렀다
蟾蜍長子は家にとどまれる

두꺼비처럼 장남은 남아서 집에 있다
蟾蜍長子遺りて家にあり

두꺼비처럼 장남은 집을 떠날 수도 없다
蟾蜍長子家去るべくもなし

두꺼비처럼 장남은 집을 떠날 이유도 없다
蟾蜍長子家去る由もなし

라는 완성된 원고에 이르는 '장남長子'의 심리에 감명을 받았다. 초안에서는 맏아들이기에 집에 남겨진 외로움과 탄식이 강하다. 이것이 '두꺼비처럼 장남은 남아서 집에 있다'와 같이 자신의 감정을 개입시키지 않고 바라본 객관구로 바뀌었고, 마지막으로 '집을 떠날 이유도 없다'라는, 맏이로 태어난 운명을 묵묵히 받아들이고 그러한 체념 속에서도 살아갈 각오를 다지는 과정에 필자는 마음이 흔들렸던 것이다.

필자에게는 사이토 모키치의 수첩도 그의 작품의 기초를 이루는 거대한 보물이다. 수첩에는 일필휘지로 완성된 원고나 그에 가까운 한 수가 적혀 있기도 하고, 상구上句 혹은 하구下句만 있는 것도 있다.[30] 또한 시간이 지나 한 수로 완성한 깃도 있고, 구상 단계에서 버린 것도 많다.

창작노트, 수첩, 메모류도 역시 문학관이 수집하고 보존해야 할 귀중한 자료임에 틀림없다.

수집해야 할 자료
　－일기, 가후의 『단장정일승』과 다쿠보쿠의 「로마자 일기」의 사례

필자는 나가이 가후의 작품 중 『단장정일승』이란 제목이 붙은 작가의 일기를 가장 좋아한다. 이 작품은 이전부터 일종의 창작이자 사소설의 변형으로 간주되어 왔다. 예컨대 『단장정일승』 1918년 12월 22일 자에는, "해저문 후 사쿠라기에서 저녁을 먹고 예기 야에후쿠를 데리고 여관으로 돌아갔다. 이 예기는 음모가 없고 다리를 벌린 모습이 예쁜데 잠자리 교성이 매우 오묘하

30　일본 시가의 한 형식인 단가(短歌)는 5·7·5·7·7의 다섯 구로 이루어지는데, 앞의 5·7·5를 상구, 뒤 7·7을 하구라 한다.

다"라는 대목이 있다. 다음날인 23일 자에는 "눈꽃 흩날리다. 기생과 함께 여관 욕실에 드니 욕조에 유자가 떠 있다.[31] (···중략···) 해지는 것과 함께 바닥에 자리를 펴고 누웠다. 눈은 어느새 비가 되고, 물 떨어지는 소리처럼 방탕아의 말로를 애도하는 듯"이라는 곳도 있다. 이러한 내용을 통해 이 작품을 창작이라고 해도 역시 「네 첩 반 미닫이문의 초배」와의 관련[32]도 무시할 수 없어 간개무량할 뿐이다.

가후 일기의 맞은편에 있는 것이 이시카와 다쿠보쿠의 「로마자 일기」이다. 그가 임종 무렵 아내 세쓰코에게 소각할 것을 지시한 것이 진의인지 여부는 의문의 여지가 있지만, 이 정도로 적나라하면서 진지하고 자유로운 문체로 된 일기는 그 유례를 찾기 어렵다. 필자는 이 작품을 그의 짧은 생애 중 만년의 가장 중

---

31 일본에서는 동지에 유자를 넣은 물에 목욕하는 풍습이 있다.
32 『단장정일승』은 나가이 가후가 죽기 전날까지 쓴 일기이다. 「네 첩 반 미닫이문의 초배」(1917)는 나가이 가후의 단편소설이다. 희작(戲作, 게사쿠. 18세기경 일본에 유행한 통속 읽을거리의 총칭)에 뜻을 둔 청년이 다양한 체험을 거쳐 치옥(置屋, 오키야. 게이샤나 창녀를 요정 등에 보내는 업자)의 주인이 된다는 내용의 작품이다. 또한 이와는 별도로, 같은 제목의 '김부산인희작(金阜山人戲作)'이라는 말이 첫 부분에 적혀 있는 춘본(春本, 슌폰. 남녀의 성적 관계를 선정적으로 묘사한 책)이 있는데, 현재 이 책은 나가이 가후가 쓴 것이라는 설이 유력하다. 작가 김부산인이 오래된 집의 약 7평짜리 방의 미닫이문의 초배에서 옛 춘본을 발견해 이를 독자에게 소개한다는 내용으로 되어 있다. 이 옛 춘본에는 중년 남성이 겪은 성적 체험에 대한 회상과 여성관 등이 묘사되어 있는데, 선정적 묘사로 인해 1972년 이 작품을 게재한 잡지의 편집장과 잡지사 사장이 '외설문서 판매'라는 죄목으로 처벌된 사건도 있었다. 참고로, 김부산인은 나가이 가후가 쓴 호의 하나이다.

요한 작품이자 일본 일기 문학의 최고 걸작의 하나로 본다. 가후가 만난 예기와 달리 다쿠보쿠가 만난 매춘부들은 육체적·정신적으로 황폐하다. 다쿠보쿠는 그녀들의 자태를 냉혹하고 처참한 시선으로 바라보는데, 동일한 눈길이 작가 자신에게도 향하고 있다. "나는 슬프다. 내 성격은 불행한 성격이다. 나는 야자다. 누구에게도 뒤떨어지지 않는 훌륭한 칼을 가진 약자다"라고 쓴 것이 그 증거라고 할 수 있다.

작가의 일기는 그의 작품에 대한 정보나 창작 동기만을 알려주는 것은 아니다. 일기 그 자체가 문학의 한 형식인 것이다. 문학관이 일기의 수집과 보존에 힘써야 하는 이유가 여기에 있다.

수집해야 할 자료―작가들의 편지

필자는 일본근대문학관이 개최한 '사랑의 편지'전을 기획·진행하면서 작가들의 편지에는 무궁한 감동이 담겨 있음을 크게 느낀 적이 있다. 글씨의 능숙함과 서투름, 크고 작음, 필세筆勢, 용지 등 문인들의 편지에는 모두 독특한 개성이 묻어난다. 극히 예외적인 경우를 제외하면 편지는 공개를 예정하고 쓰는 것이 아니다. 그래서 작가들의 편지를 읽노라면 무엇보다도 그 작가의 육성을 듣는 것 같은 깊은 감동이 있다.

나쓰메 소세키의 편지를 읽을 때마다 글은 곧 그 사람이라는 격언이 생각난다. 소세키는 작품보다는 편지에 이 격언이 보다 잘 들어맞는 것 같다. 소세키 편지의 탁월함은 논외로 하고, 작가들의 단순한 인사 편지에서도 보낸 이와 받은 이 사이의 인간관계를 엿볼 수 있다는 점에서 나름의 감동을 느낄 수 있다.

편지는 보낸 사람과 받는 사람이 있는 것이기 때문에 왕복 편지 모두가 수집·보존되는 것이 바람직하다. 하지만 이는 쉬운 일이 아니다. 유족들은 작가가 받은 편지만 가지고 있는 것이 일반적이기 때문이다. 문인 사이의 왕복 편지는 아니지만 다니가와 슌타로[33]가 엮은 『어머니의 연애편지』는 수년간 편자 양친이 주고받은 연애편지를 모은 것이다. 또한 필자의 옛 친구인 우다 다케시가 다나베 하지메[34]와 노가미 야에코 사이에 주고받은 편지를 정리·교정하여 이와나미서점에서 간행한 서간집이 있다. 여기에는 뛰어난 철학자와 작가 사이에서 번쩍거리는 영혼의 불꽃을 볼 수 있는 편지들이 모여 있다. 보낸 편지와 받은 편지가 모두 원본일 필요는 없다. 문학관으로서는 편지를 소장한 문학관과 협력하여 복제품을 서로 교환하는 것도 좋다.

다만 편지의 소유권은 수신인에게 있지만, 저작권은 그 편지를 쓴 작가에게 있다. 편지를 복제하거나 공개적으로 간행할 경

---

33 谷川俊太郎(1931~). 시인, 번역가, 그림책 작가, 각본가.
34 田辺元(1885~1962). 철학자. 만년, 소설가 노가미 야에코와 밀애관계에 있었다는 것이 최근 밝혀졌다.

우 이 점을 주의해야 한다.

수집해야 할 자료—작가 사진과 신변물품

작가 사진과 신변물품 등도 전시에 반드시 필요하기 때문에 수집하고 보존해야 할 자료이다. 전시는 초판본과 작품의 첫 발표지면, 원고 등의 문학 관련 자료뿐만 아니라 시각적 자료가 없으면 구성이 불가능하다. 일본근대문학관은 소장한 사진 등을 다른 문학관 전시에 복제·제공하여 약간의 수입을 얻고 있다.

관람객들은 작가의 사진 자료에 보다 흥미를 느끼고 배우는 것 또한 많다. 필자는 다야마 가타이 기념문학관에서 류도회[35] 모임 사진을 본 적이 있다. 다야마 가타이, 구니키다 돗포,[36] 야나기타 구니오[37] 등이 있고 오른쪽 끝에 젊은 간바라 아리아케[38] 가 있었다. 아리아케가 아자부 류도정의 프랑스 요리점 류도헌에서 열린 류도회 최초의 간사였던 것은 문학사적으로 널리 알

35　竜土会. 메이지 후기 문학자 모임. 1900년 초, 도쿄 우시고메의 야나기타 구니오의 집에 다야마 가타이, 구니키다 돗포 등이 모여 문학이야기를 주고받은 것이 첫 시작이다. 1904년 도쿄 아사부의 프랑스 요리점 류도헌(竜土軒)이 모임 장소가 되었는데, 류도회라는 이름은 이 식당에서 비롯된 것이다.

36　国木田独歩(1871~1908). 소설가, 시인, 저널리스트.

37　柳田国男(1875~1962). 민속학자, 관료.

38　蒲原有明(1875~1952). 시인.

려져 있다. 「지혜로운 관상쟁이가 나를 보고」, 「말리화」 등으로
일본 문어상징시의 정점을 이룬 아리아케가 일본 자연주의문학
을 확립한 돗포, 가타이 등과 깊은 교분이 있었고, 일본 민속학
의 아버지라 해야 할 야나기타 구니오와 가타이가 긴밀한 교우
관계를 맺고 있었다는 것을 이 한 장의 사진은 역력히 보여준다.
이는 문학사나 여러 사람들의 회상에서 얻은 지식과는 완전히
다른 현실감이 넘치는 생생한 감동이었다.

비슷한 감상을 히메지문학관[39]의 시이나 린조[40] 코너에서도
느낀 적이 있다. 시이나 린조, 하니야 유타카,[41] 노마 히로시,[42]
우메자키 하루오,[43] 나카무라 신이치로,[44] 홋타 요시에[45] 등의
'모레회' 사진에서였다. 상당히 젊어들 보이는데, 모두 40~50
세 무렵이었을 것이다. 그들이 문학의 주류였던 시대의 사진이
지만, 지금은 모두 고인이 되었다. 사진 한 장이 때로는 원고보
다도 깊은 감동을 주는 것이다.

---

39 姫路文学館. 1991년 개관. 효고현 히메지시 소재.
40 椎名麟三(1911~1973). 소설가.
41 埴谷雄高(1909~1997). 소설가, 정치·사상평론가.
42 野間宏(1915~1991). 소설가, 평론가, 시인.
43 梅崎春生(1915~1965). 소설가.
44 中村真一郎(1918~1997). 소설가, 문예평론가, 시인.
45 堀田善衛(1918~1998). 소설가, 평론가.

수집해야 할 자료—서화, 색지,[46] 단책[47] 등

문인들의 서화, 색지, 단책 등도 또한 문학관이 수집하고 보존해야 할 자료이다. 다카무라 고타로, 아이즈 야이치[48] 같은 작가들은 전문 서예가 못지않게 글을 잘 썼다. 또한 시마자키 도손의 글에서는 그의 성실한 성품을 볼 수 있다. 이와 같이 문인들의 글은 그 능숙함 여부와 상관없이 그 자체가 작가들이 가진 개성의 표현이다.

이런 글들이 전시에 반드시 필요한 시각 자료가 된다. 글뿐 아니라 내용에서도 작가의 개성이 묻어난다. 일본현대시가문학관이 개최한 '응답하라, 감성. 21세기에 보내는 시가' 전에 많은 시인과 가인, 하이쿠 작가들이 글을 출품하였다. 아래 인용문은 전시도록에서 그 일부를 가져온 것이다.

큰 폭포 지구와 관계없이 떨어진다
大瀑布 地球によらず 墜ちてゆく

모래시계도 해시계도 악몽을 꾼다
砂時計も 日時計も 悪夢を見ている

---

46 色紙. 와카나 서화 등을 쓰거나 그리는 사각형의 두꺼운 종이.
47 短冊. 와카나 하이쿠 등을 쓰기 위한 세로로 긴 용지.
48 会津八一(1881~1956). 가인, 미술사가, 서예가.

흰 장지문 열면 허공에 통할 듯
白障子 あくれば虚空へ 通ふらし

위에서부터 순서대로 소 사콘,[49] 다카하시 준코,[50] 나카 다로[51]의 색지이다. 나카 다로의 작품은 가장 하이쿠 같지만 하이쿠라고 단정할 수 없다. 다카하시 준코의 글은 하이쿠 연구連句 속에 넣는 것이 적절할 것 같다. 하지만 위와 같이 짧은 시 속에 녹아 있는 작가들의 시풍을 음미할 수 있다는 것은 공통적이다.

세속에 사슴이 된 요염함에 가슴 속 큰북을 쿵 쳤네
じんかんに鹿となりゐる妖しさに胸の太鼓をどんと打ちたり

—바바 아키코[52]

부드러운 봄비를 맞지 않은 공룡 이빨에 먼지가 이는 것을 본다
やわらかき春の雨水のぬらすなき恐竜の歯にほこり浮く見ゆ

—나가타 가즈히로[53]

49 宗左近(1919~2006). 시인, 평론가, 불문학자, 번역가.
50 高橋順子(1944~). 시인.
51 那珂太郎(1922~2014). 시인.
52 馬場あき子(1928~). 가인, 문예평론가.
53 永田和宏(1947~). 가인, 세포생물학자.

안개에 백조, 백조에 안개라고 해야하는가

霧に白鳥白鳥に霧と言うべきか

― 가네코 도타[54]

손바닥에 우주도 움켜쥐고 개미도 움켜쥐네

掌に宇宙も摑み蟻も摑む

― 노무라 도시로[55]

　일본현대시가문학관의 의뢰로 출품한 위의 구절은 모두 당시 작가가 가졌던 생각이나 감정을 형상화한 것이다. 이를 전제하고 작가들이 쓴 색지, 단책의 글을 보면 끝없는 감동을 맛볼 수 있을 것이다.

수집해야 할 자료－작가의 장서, 특히 작가의 메모가 있는 책

　작가의 유품 중에서는 장서에 주목해야 한다. 본래 장서는 작가의 문학적 소양의 기초이자 자양분이다. 작품 발상의 계기가 되었을 해외 작품도 있고, 밑줄을 치거나 감상을 적은 책도 있다.

54　金子兜太(1919~2018). 하이쿠 작가.
55　能村登四郎(1911~2001). 하이쿠 작가.

작가의 메모가 있는 책은 그 작가 연구에 귀중한 단서가 된다. 모리 오가이의 장서는 도쿄대학 도서관에 소장되어 있다.

장서와 관련된 감상을 이야기해보자. 필자는 시바 료타로[56] 씨의 서재를 본 적이 있는데, 시바 씨 생전에는 만난 적이 없다. 후쿠다 미도리 부인의 안내를 받아 둘러본 서재에서 놀라운 광경을 목격했다. 시바 씨가 집필할 때 썼던 책상에서 바로 손이 닿을 만한 곳에 갖추어진 방대한 사전류[57] 때문이었다. 필자가 보통 곁에 두고 보는 것의 열 배가 족히 넘었다. 기타큐슈시 마쓰모토 세이초[58] 기념관[59]에는 마쓰모토 씨의 서재와 서고가 복원·전시되어 있다. 하지만 마쓰모토 씨 서재에 있는 사전 종류의 수는 필자와 큰 차이가 없다. 이는 시바, 마쓰모토 두 작가의 집필 자세는 물론 그들이 가졌던 문학적 자질과 작품에 관련되는 것이기도 하다. 장서에는 작가가 작품 활동 시 이용했던 사전 종류까지 포함되는 것이다.

이밖에 필기구를 비롯해 의복과 기타 신변물품 등도 작가의 생활 및 인격은 물론 그의 문학과 연관된다. 필자는 안도 쓰구오[60]를 따라 가토 슈손[61]의 집 달곡산방達谷山房을 방문했을 때, 그

---

56 司馬遼太郎(1923~1996). 소설가, 논픽션 작가, 평론가.
57 원문은 '辞書·事典'이다. 우리말에서는 모두 사전으로 통칭하기에 '사전'으로 옮겼다.
58 松本清張(1909~1992). 소설가.
59 松本清張記念館. 1998년 개관. 후쿠오카현 기타큐슈시 소재.
60 安東次男(1919~2002). 하이쿠 작가, 시인, 평론가, 번역가.

의 벼루나 필묵 컬렉션 등을 잠깐 둘러본 적이 있다. 가토 슈손의 족자를 볼 때마다 그리운 생각을 금할 수 없는데, 그의 글씨는 그의 후반생 혹은 만년의 생활, 나아가 창작과 분리할 수 없는 중요성을 가진다.

이렇게 보면, 문학관이 수집하고 보존해야 할 자료는 작가에 관련된 모든 것이라 해도 좋다.

수집해야 할 자료—대상 작가 관련 연구서, 평론, 회상 등

작가 개인 문학관에서는 그 작가에 대한 연구, 평론, 회상록 등 모든 것을 수집·보존하여 열람 자료로 제공할 수 있어야 한다. 필자는 나카하라 추야 기념관에 그에 관한 모든 자료가 완비되어 있어 문학관이 나카하라 추야 연구센터라고 해도 과언이 아니게 될 날을 기대하고 있다. 작가 관련 연구, 평론, 기타 회상류 등은 꼭 원본이 아닌 복사본이라도 좋다.

지역문학관은 그 지역에서 태어나 자란 작가는 물론 그 지역을 여행하고 작품으로 형상화한 것도 널리 수집·보존하여 열람이 가능하도록 힘써야 한다. 『홋카이도문학전집』과 『이시카와 근대문학전집』, 『군마문학전집』 등을 대표적 사례로 들 수 있다.

---

61 加藤楸邨(1905~1993). 하이쿠 작가.

적은 부수라도 출판하는 것이 바람직하지만 그것이 어렵다면 작품들을 수집·보존하여 열람 자료로 제공하는 것만으로도 충분히 의미가 있다.

이것이 가진 의미는 작가가 형상화한 풍토가 그 지역에 대한 새로운 시점을 제공해준다는 데 있다. 동시에 그러한 새로운 시점을 통해 지역을 다시 바라볼 수 있는 기회가 되기 때문이기도 하다. 그 지역 주민들은 정작 자신이 태어나 자란 땅 어디에 어떤 특색이 있는지 모르는 경우가 많다. 반면 여행자의 관찰은 대개 피상적이고 깊이가 얕지만, 오히려 그 지역 사람들의 의표를 찌르는 신선한 매력을 이끌어내는 경우가 드물지 않다.

이렇게 이야기하는 것은 작가 개인 문학관이나 지역문학관 모두 항상 지역이라는 한정된 시각이 아닌 전국적 시각을 갖추어야 한다는 것이다. 이는 『군마문학전집』을 편집한 이토 신키치[62] 씨와 같이 문학관 관계자들에게는 객관적이고 폭넓은 학식이 필수적임을 가리키는 것이기도 하다. 필자는 이것이 몽상에 불과하다고는 생각지 않는다.

---

62   伊藤信吉(1906~2002). 시인, 일본 근대문학 연구자.

2. 자료 구입

고서점

문학관이 소장품을 수집하는 방법은 대개 구입과 기증, 기탁의 세 가지이다.

새로 나온 서적이나 잡지는 서점이나 출판사에서 쉽게 구입할 수 있다. 여기에서는 고서(잡지 포함, 이하 동일) 구입에 대해 생각해보고자 한다. 개인 소장 고서의 구입은 나중에 살펴보기로 하고, 우선 고서점에서 자료를 구입하는 방법으로 필자는 『일본고서통신』의 정기구독을 추천하고 싶다. 아울러 각 고서점에서 수시 발행하는 도서 목록이나 고서점 그룹들이 개최하는 전시즉매회展示即売会 목록, 간다고서회관[63]에서 열리는 칠석시七夕市 등의 입찰제 즉매회 목록을 항상 입수할 수 있도록 믿을 수 있는 몇몇 고서점과 관계를 맺는 것이 필요하다. 이를 위해 다섯 번에 한 번 정도 1,000~2,000엔 정도의 자료라도 구입해두면 계속해서 고서점의 도서 목록을 받아볼 수 있다. 칠석시 등에서 입찰할 때

---

[63] 도쿄도의 허가를 받은 고서점업자들의 협동조합인 도쿄고서조합의 건물. 도쿄도 치요다구 소재. 주로 금요일과 토요일 이틀에 걸쳐 가맹 고서점들이 모여 고서회관 지하에서 즉매회를 개최한다. 즉매회는 칠석시, 성북고서전(城北古書展), 글로리아회, 도쿄애서회(東京愛書會) 등의 이름으로 개최된다.

에도 타당한 가격으로 낙찰받을 수 있도록 믿을 수 있는 고서점과 긴밀한 협조 관계를 유지하는 것이 좋다. 도서 목록을 발행하고 있는 고서점 주인은 자신이 전문으로 하는 분야에 대해서는 웬만한 문학관 직원을 뛰어넘는 폭넓은 지식의 소유자이다. 고서점의 도서 목록은 문학관 직원에게 있어 귀중한 정보원情報源인 것이다.

된 고서 목록을 보고 자료를 구입하는 것은 앉아서 보물이 오기를 기다리는 것과 같다. 애서가라고 불리는 사람들 중에는 매주 한 번 간다와 기타 고서점을 순회하는 사람들이 적지 않다. 자료 수집을 위해 자신의 발로 직접 탐색하는 것을 귀찮아한다면, 문학관 담당 직원으로서 자격 미달이라 할 수 있다.

고서를 찾는 수고

일본근대문학관에는 연말마다 자료를 수집하는 수십 년 된 관행이 있다. 고노 도시로,[64] 고故 호쇼 마사오,[65] 소네 히로요시[66] 등 문학관 도서자료위원회 소속 연구자와 문학관 직원이 함께 간다와 와세다 고서점가를 다니면서 필요한 자료를 수집하는 것

---

[64] 紅野敏郎(1922~2010). 일본 근대문학 연구자.
[65] 保昌正夫(1925~2002). 일본 근대문학 연구자, 문예평론가.
[66] 曾根博義(1940~2016). 일본 근대문학 연구자, 문예평론가.

이다. 문학관 재정은 초저금리 시대를 맞아 매우 궁핍한 상황에 처해 있고, 연간 자료 구입 예산도 200만 엔밖에 되지 않는다. 이러한 한정된 예산 상황에서도 뜻밖의 귀한 자료를 발견할 때가 적지 않다고 한다. 예를 들면, 모든 책이 100엔인 상자 속에서 소장 잡지의 결호를 발견하는 기쁨은 말할 수 없이 크다는 것이다. 연구자분들은 당연히 어떤 책이 없는지 잘 알고 있지만 수장고에 늘 출입하는 직원이 결호를 알아차리는 경우도 많다. 수백 엔에서 수천 엔에 불과한 돈으로 소장하고 있지 않은 잡지의 결호를 이런 식으로 매년 구입한 결과 오늘날 일본근대문학관의 컬렉션이 만들어진 것이다.

요코미쓰 리이치[67]의 『꽃들』 작가 메모본을 입수할 수 있었던 것도 연말 고서점 탐색의 성과였다. 『일본근대문학관』 제164호에 호쇼 씨의 「특이한 원고·요코미쓰 리이치의 전후판 『꽃들』」이라는 글이 있다. 『꽃들』은 1931년 『부인지우』에 연재된 후 1933년 연재 원고를 손질하여 단행본으로 간행되었다. 요코미쓰는 전후 사망하기까지 이 작품에 대한 퇴고와 개고를 거듭했다. 일본근대문학관이 연말 고서점 탐색에서 입수한 것은 1936년 작가가 유럽에 갔을 때 비범각에서 간행된 『요코미쓰 리이치 전집』이다. 이 책에 수록된 『꽃들』에 작가의 메모가 있었던 것이다. 호쇼 씨에 따르면 이것이 전후판인 야마네서점 간행 『꽃들』의 저

67　橫光利一(1898~1947). 소설가, 하이쿠 작가, 평론가.

본이 되었다고 한다. 책 가격은 50만 엔. 호쇼 씨는 또한 "이것이 나오리라고는 생각지 못했던 진품이다"라는 말을 덧붙이고 있다.

자료를 찾는 수고를 아낀다면, 문학관 소장 자료를 충실하게 할 수 없다.

고서점 도서 목록

필자는 장서가도 아니고 애서가도 아니다. 희귀서를 수집하는 취미도 없다. 하지만 고서점 도서 목록을 20분에서 1시간 정도 즐겨 보는 것이 필자의 낙이다. 상당한 고가의 책은 어쩔 수 없지만 갖고 싶은 책이 있으면 즉시 팩스로 주문한다. 빠른 자가 승자이기에 주문은 일각을 다투게 된다. 문학관에서는 목록을 보고 구입에 대한 결재를 받아 주문을 하게 되는데, 이렇게 되면 구입 기회를 놓칠 수 있다. 이 때문에 일정 한도액까지는 담당자가 바로 구매 결정을 할 수 있는 방안을 마련해두어야 한다.

여러 고서점의 목록을 보고 있으면, 대략적인 시세가 없는 것은 아니지만 가격이 일정한 고서라도 고서점에 따라 가격차가 꽤 난다는 것을 알 수 있다. 보존 상태에 차이가 없는 동일한 고서라면, 가능한 한 싼 가격에 구입해야 한다. 이는 너무나 당연한 상식이다. 지방자치단체가 직간접으로 경영하고 있는 문학관에서는 수시로 목록을 확인하여 시세를 파악한 뒤 최대한 저렴한 가격에 구입해야 한다. 이것이 납세자에 대한 의무일 것이다.

거꾸로 문학관 자신이 시세를 끌어올리는 역할을 하지 않도록 항상 경계해야 한다. 작가 개인 기념관이나 지역 혹은 특정 분야에 대한 문학관이 건립된다는 소문이 돌면 그 문학관에 필요한 고서의 가격이 상승한다. 고서점은 이것이 생업이기에 이들을 비난할 수는 없다. 이 경우에도 자료를 구입한다면 해당 고서점과 친밀해지는 계기가 되어 긴 안목으로 보면 바람직한 일일 수도 있다. 그렇다 하더라도 터무니없는 비싼 가격으로 구입할 때는 문학관에 꼭 필요한 자료인지 심사숙고해야 한다.

고서 가격

얼마 전 1938년 무렵 야마구치에서 발행된 시 동인지 7~8책이 어떤 고서점 목록에 25만 엔에 나온 적이 있다. 나카하라 추야의 유고 수 편이 그 잡지에 실린 것을 제외하면 전혀 알려지지 않은 잡지였다. 그 유고도 이미 전집에 수록되어 있어 새 자료로 가치가 있는 것은 아니었다. 하지만 잡지의 성격이나 유고의 게재 상황 등을 알기 위해 누군지 모르는 사람의 손에 들어가 산일되는 것은 막고 싶었다. 그래서 필자는 곧바로 주문하여 손에 넣었다.

그 후 나카하라 추야 기념관에서 필자보다 며칠 늦게 주문하여 자료를 구입하지 못했다는 소식을 들었다. 필자는 구입한 가격으로 자료를 나카하라 추야 기념관에 양도했지만 25만 엔은 아무리 생각해도 비싸다. 나카하라 추야 기념관이나 『나카하라 추야 전집』 편집 관계자 이외에는 구입할 사람이 없지 않았을까. 만약 그렇다고 한다면 가격을 올린 책임이 필자에게도 있었던 것은 아닌지 자책한 적이 있다.

『신편 나카하라 추야 전집』(제4차 전집)에는 구 전집(제3차 전집) 간행 후 발견된 새 자료가 다수 포함되어 있다. 나카하라 추야가 사라시나 겐조 앞으로 보낸 엽서도 그 중 하나이다. 사라시나 겐조에 대해서는 이미 언급한 바 있는데, 그는 이른바 홋카이도문학의 개척자로 보아야 할 시인이기도 하다. 시인으로서는 현재 잊혀져가고 있지만 그렇다고 해서 망각되어도 좋은 시인은 아니다. 그것은 어찌됐든, 사라시나는 다카무라 고타로, 구사노 신페이[68] 등 많은 문인들과 폭넓게 교류했다. 따라서 사라시나가 받은 편지만 해도 귀중한 것이 상당할 것이다. 이러한 사라시나의 유고와 유품을 데시카가정町이 1,500~2,000만 엔에 유족에게 일괄 구입했다고 들었다. 데시카가정은 작가 기념관을 설립할 계획이었던 듯한데, 재정난으로 이들 자료들이 어정쩡한 상태에 있다고 하여 걱정스러웠다.

---

68 草野心平(1903~1988). 시인.

하지만 최근 홋카이도문학관의 히라하라 가즈요시 씨에게 마슈관광문화센터 내 약 300m² 규모로 시라시나 겐조 문학자료관[69]이 개관했다는 소식을 들었다. 다만 자료는 아직 정리가 덜 됐다고 한다. 『다카무라 고타로 전집』에 실려 있는, 다카무라가 사라시나 겐조 앞으로 보낸 편지만 해도 127통이라는 방대한 수에 달한다. 데시카가정은 상당히 낮은 가격에 구매한 것 같다. 필자는 히라하라 씨에게 듣기 전까지는 3,000만 엔으로 알고 있었다. 하지만 이 금액도 저렴한 것이다. 사라시나 겐조 자료가 얼마나 귀중한 자료인지, 데시카가정 관계자 분들이 충분히 인식하고 주의 깊게 보존·수장하여 적절하게 공개해주실 것을 간절히 바란다.

3. 자료 기증

자료 기증을 받기 위한 노력

문학관이 작가의 유고·유품류를 기증 혹은 기탁받거나 구입

---

69   更科源蔵文学資料館. 2007년 개관. 홋카이도 가와카미군 데시카가정 소재.

할 때, 유족이 그 대상인 경우가 대부분이다. 꼭 수집 대상으로 삼아야 할 작가가 있고 그 작가가 생존 중이라면, 문학관에서는 그가 작고하기까지 항상 관심을 기울이고 신뢰를 얻을 수 있도록 노력해야 한다.

현재 큰 문예출판사들은 보통 육필원고를 책 출판 후 필자에게 돌려준다. 하지만 돌려받은 원고의 처리에 곤란해 하는 작가도 꽤 적지 않은 것 같다. 요시무라 아키라[70] 씨는 작고하기 전 자신의 원고는 모두 소각할 것임을 항상 공언해왔는데, 사실은 소중하게 보관하고 있었던 듯하다. 또한 필자와 같이 자신의 원고 등을 기증하는 것이 오히려 문학관에 폐가 된다고 생각하는 분들도 많은 것 같다. 시바 료타로 씨의 『가도를 걷다』 원고는 거의 전부가 일본근대문학관에 소장되어 있다. 이 때문에 본의 아니게 시바 료타로 기념관[71] 측의 원망을 사고 있는데, 이는 작가가 살아 있을 때 이같이 되도록 조치해주셨던 덕분이다. 문학관에서 부탁을 드리면 오카 마코토[72] 씨를 비롯한 많은 작가들이 그때마다 흔쾌히 자료를 기증해주신다. 일본근대문학관은 앞으로도 이러한 노력을 배가해야 할 것이다. 특히 향토 출신 문인을 대상으로 하는 지역문학관은 평소에도 이 점에 노력을 기울여야 할 것이다.

---

70 吉村昭(1927~2006). 소설가.
71 司馬遼太郎記念館. 1996년 개관. 오사카부 히가시오사카시 소재.
72 大岡信(1931~2017). 시인, 평론가.

자료 기증에 대한 문학관의 바람은 대부분 작가가 그 문학관을 신뢰하는지 여부에 그 결과가 달려 있다. 우선 자료 보관에 적절한 수장고가 완비되어야 하고 자료를 다루는 직원들도 전문성과 충분한 능력의 소유자여야 한다.

작가가 살아 있을 때부터 신뢰 관계를 구축해놓으면, 그러한 신뢰는 유족에게도 그대로 이어지는 경우가 많다.

문학관에 대한 신뢰

일본근대문학관 제4대 이사장 오다기리 스스무[73] 씨는 작가가 별세하면 빈소에 조문을 가서 유족에게 작가의 유고와 유품 기증을 부탁했다고 한다. 진위 여부와 장소가 상갓집이었는지는 확언할 수 없지만 그와 비슷한 일이 있었음은 분명하다. 문학관의 충실한 자료 수집을 위한 오다기리 씨의 정열이 표출된 것이다. 기증된 자료를 소장하고 이용하는 데 있어 별세한 작가의 뜻에 반하는 일은 절대로 있을 수 없다는 자신이 있었기 때문이다. 또한 작가의 장례식 자리에서 자료 기증을 요청해도 유족들이 실례로 여기지 않도록 평소부터 신뢰관계를 구축했기 때문이기

---

[73] 小田切進(1924~1992). 일본 근대문학 연구자. 1971년부터 1992년까지 일본근대문학관의 제4대 이사장을 역임했으며, 일본근대문학관과 가나가와근대문학관의 설립에 크게 공헌했다.

도 할 것이다.

오다기리 씨의 정열과 노력에 비한다면 필자는 정말 부끄러울 정도로 태만하다. 다만 노가미 소이치[74] 씨가 별세했을 때, 노가미 야에코 기획전 등으로 신세를 졌던 적도 있어 장례식에 참석한 바 있다. 이 때문은 물론 아니겠지만, 몇 달 후 노가미 야에코의 처녀작 「명암」 원고와 이를 비평한 나쓰메 소세키의 편지, 그당시 소세키가 노가미 야에코에게 보낸 작은 교토 인형[75]을 기증받았다.

똑같은 경우를 수집가에 대해서도 말할 수 있지 않을까 한다. 최근 미도로 슈이치 씨에게 소세키의 「미치쿠사」 원고를 기증받았다. 이것도 과거 40년 동안 여러 선배들이 일본근대문학관이 높은 신뢰를 받을 수 있도록 최선을 다해 노력한 결과일 것이다. 이러한 귀중한 문화재를 일본근대문학관이 잇달아 기증받는 것은, 자료의 소장 상황과 직원의 능력에 더해 여러 해에 걸쳐 얻은 많은 선배들의 인격, 식견, 정열 덕분이라고 할 수 있다.

신뢰는 하루아침에 얻어지지 않는다. 반면, 단 한번의 부주의로 그동안 쌓은 신뢰가 무너질 수 있다. 우리에게는 수장고 공간 확보 등 힘써야 할 현안이 산적해 있다. 하루하루 꾸준히 노력해야 한다.

---

74 野上素一(1910~2001). 이탈리아문학자.
75 京人形. 교토에서 전통적으로 제작되어 온 고급 일본 인형의 총칭.

작가 유족을 만날 때의 마음가짐

문학관은 주로 작가의 유족에게 소장 자료를 구입하거나 기증 혹은 기탁을 받는다.

유족들 사이에서도 유고와 유품에 대한 생각은 결코 동일하지 않다. 각별한 애착이 있어 유고와 유품을 어떠한 경우든 곁에 두고 싶어 하는 유족이 많은 편이다. 반면 창고에 먼지투성이 그대로 두는 분도 있고, 돈이 되는 장서류는 신속히 고서점에 파는 분도 있다. 고서점 목록에 저자 기증의 서명본이 자주 눈에 띄는 것도 그러한 경우이다. 같은 유족이지만 일반적으로 배우자와 자식들 사이에서도 애착 정도는 모두 다르다.

마찬가지로 문학관에서 자료를 소장·보존하여 연구자 등에게 열람을 허가하는 것의 의의에 대한 이해 정도도 유족마다 다른데, 이는 문학관측의 설명 여하에 좌우되는 경우가 많다. 작가의 업적에 대해서도 유족의 평가가 일반적인 사회적 평가와 엇갈리는 경우가 많다. 대개 후자보다 전자 쪽이 높다. 유족들이 남편이나 부친이 평생을 바쳐 한 일에 대해 더할 나위 없이 소중하고 높은 의의가 있다는 신념을 갖는 것은 당연하다. 거꾸로 가정을 돌보지 않고 좋아하는 일에 몰두한 부친의 일이 그렇게 의의가 큰 것이었나 하고 놀라는 유족도 있다. 애착이나 평가도 배우자와 자식이 다른 경우가 종종 있다. 또한 유족의 경제적 상황도 실로 다양하다.

이와 같이 유족의 심정이나 상황은 모두 제각각이기 때문에 문학관 직원들이 유족과 만날 때는 세심한 주의와 예의, 절도를 갖추어야 한다.

4. 자료 기탁

법률상 '기탁'과 문학관의 '기탁'

유족들 중에는 문학관이 작가의 유고와 유품을 영구히 소장·보존하고 그 업적을 후세에 전하는 것에 큰 의미를 두고 흔쾌히 자료를 기증해주시는 분들이 많다. 하지만 지방자치단체가 지역 출신 작가를 기리기 위한 기념관을 설립하는데 해당 유족이 유고와 유품을 당연히 기증해 줄 것이라고 생각한다면, 이는 매우 교만한 자세라 할 수 있다. 유족에게는 유족의 입장과 심정, 그리고 경제적 상황이 있다.

유족들에게 기증 의사가 없고 자료 소장에 대한 의지도 크지 않을 경우에는 문학관이 직접 구입하는 것도 하나의 방법이 된다. 나카무라 신이치로 씨가 소장한 에도 한시漢詩 관계 컬렉션은 국문학연구자료관이 구입했는데, 그때는 간다의 유명 고서점을 사이에 두고 거래가 이루어졌다. 고서점에 필요 이상의 수수료를 지불해야 하지만 가격의 합리성이나 거래의 투명성 측면에서 보면 바람직한 방법이라고 할 수 있다.

하지만 자료 구입이 어려울 때 기탁이라는 형식으로 입수하는 경우가 있다. 기탁하는 쪽은 유족뿐만 아니라 자료의 소유자인 경우도 있다.

기탁은 민법·상법에 정의된 법률 용어이다. 그렇지만 문학관에서 사용되는 기탁은 그러한 법률적 의미와는 약간 차이가 있다.

법률적 의미에서의 기탁은 맡기는 쪽인 기탁자가 받는 쪽인 수탁자에게 기탁에 대한 비용을 지불하는 것이 일반적이다. 창고에 물건을 보관할 때 보관 비용을 내는 것과 같다. 하지만 문학관의 경우는 그렇지 않다. 자료 기탁자는 문학관에 기탁에 대한 비용을 지불하지 않는다. 대신 문학관은 무상으로 자료를 기탁받고 열람이나 전시 등 필요에 따라 기탁 자료를 자유롭게 이용할 수 있다. 하지만 문학관의 자료 기탁에는 중요한 문제가 있다. 자료의 소유권이 어디까지나 기탁자에게 있기 때문에 기탁자는 언제라도 기탁 계약을 해지하고 자료를 찾아갈 수 있다는 것이 그것이다.

자료 기탁의 장점

일본근대문학관은 지난 30년간 나쓰메 소세키의 『나는 고양이로소이다』, 마사오카 시키[76]의 「밥을 기다리는 동안」 등 귀중한 원고를 기탁받았다. 하지만 교시기념문학관[77] 개관 무렵 기탁계약이 해지되어 반환했고, 자료들은 교시기념문학관으로 이관되었다. 매우 유감이었지만 기탁이라는 계약의 특성상 어쩔 수 없었다. 하지만 문학관으로서는 귀중한 자료를 안전하게 잘 보존하여 맡은 바 책임을 다할 수 있었고, 또한 이들 자료를 각종 문학전시 등에 이용할 수 있어 매우 감사하게 생각하고 있다.

작가 유족에게 유고와 유품을 기증받을 수 없고 구입도 어려울 경우에는 기탁을 요청하는 방법이 있다. 이때 다음과 같은 내용을 강조하면 보다 효과적일 것이다. 자료를 개인이 보관하는 것보다 문학관 수장고에 보존하는 것이 화재 등에 대해 훨씬 안전하며 전문적 관리도 받을 수 있다. 또한 열람이나 전시 등을 통해 사회적으로도 유익하게 이용될 수 있다. 소유권은 어디까지나 유족 등 소유자에게 있기 때문에 언제라도 계약을 해지하고 되돌려 받을 수 있다. 이런 내용으로 유족 등 자료 소유자를 설득해야 한다.

---

76 正岡子規(1867~1902). 하이쿠 작가, 가인.
77 虛子記念文学館. 2000년 개관. 효고현 아시야시 소재.

문학관의 첫 번째 책무는 자료의 산일을 막는 데 있다. 필자는 일본근대문학관을 보다 충실하고 완벽한 문학관으로 만들고 싶다. 그렇다고 해서 일본근대문학관만이 모든 자료를 소장해야 한다는 것은 물론 아니다. 완비된 수장고와 노련한 직원들이 있는 교시기념문학관에 귀중한 자료가 이관되는 것은 매우 다행한 일이 아닐 수 없다.

한 문학관이 모든 것을 할 수는 없다. 개별 문학관이 각자의 특징을 살려 서로 협력했을 때, 문학관 활동이 전국적으로 발전할 수 있는 것이다. 필자는 이렇게 믿는다.

기탁 계약의 해지

기탁에 문제가 있음은 앞서 말한 바 있는데, 계약이 해지되어 자료를 소유자에게 반환해야 하는 일이 언제든 일어날 수 있기 때문이다.

일본근대문학관이 여러 해 소장해 온 기탁 자료가 있었다. 기탁자의 사정으로 계약이 해지되었고 문학관은 소유자에게 자료를 반환했다. 그 후 얼마 지나지 않아 그 자료가 어떤 고서점 목록에 실렸고 가나가와근대문학관이 그 자료를 구입했다. 기탁자에게는 나름의 사정이 있었을 것이고 가나가와근대문학관이라면 자료의 소장과 보관, 이용에 문제가 있을 리도 없다. 이것이 기탁이라는 계약의 특성상 어쩔 수 없는 사례의 하나이다.

부득이한 일이었지만 다른 방법은 없었을까 하는 아쉬움이 컸다. 극단적인 경우이긴 하지만 자료를 문학관에 기탁하여 무상으로 안전하게 보관한 뒤 마음 내킬 때 기탁 계약을 해지하고 고서점 등에 매각하는 사태가 생기지 않는다고는 장담할 수 없다. 문학관을 창고 대용으로 얼마든지 생각할 수 있는 것이다.

기탁 자료를 반환하여 소장품이 없는 경우가 생긴다면, 문학관은 매우 곤란한 상황에 처하게 된다. 문학관 본연의 책무가 자료의 멸실 방지에 있음을 생각하면, 일본근대문학관에 있던 기탁 자료가 교시기념문학관이나 가나가와근대문학관으로 이관되었다는 것은 이유야 어쨌든 잘 된 일이라고 할 수 있다. 고서점을 통해 귀중한 문학 자료가 누군지 알 수 없는 사람의 손에 들어가거나 열람 등을 거부하는 곳에 넘겨진다면, 그동안 문학관은 무엇을 위해 자료를 소장·보관했는가 하는 것이 문제가 된다.

따라서 기탁 계약을 체결할 때 적어도 다음과 같은 안전장치를 마련해두어야 한다. 기탁이 해지될 경우 자료의 복제·복사물을 제작하여 이들을 문학관에 남겨둘 수 있도록 확실하게 양해를 구해야 한다. 자료에 대한 대강의 내용 파악은 자료 원본이 아닌 복제 혹은 복사로 충분하기 때문에 이러한 조치를 취해두어야 하는 것이다.

5. 자료 복제

육필원고 같은 자료는 원본을 소장하는 것이 좋은데, 이는 모든 문학관의 희망사항일 것이다. 하지만 기증은 물론 구입도 할 수 없는데 기탁 계약까지 해지되었다면 복제나 복사물의 형태로라도 소장하고 있어야 한다.

실무적으로 복제물 제작은 정밀도가 문제인데, 어떻게 하든 많은 비용이 든다. 하지만 복제업자에 따라 비용 차가 천차만별이기 때문에 문학관 담당자들이 서로 정보를 교환하여 정확한 내역을 알아보는 것이 좋다. 나중에 전시와 관련하여 언급하겠지만, 육필원고는 손상될 수 있기 때문에 복제물을 전시해야만 한다. 소장하고 있는 육필자료를 전시 목적으로만 이용할 계획이라면, 전시에 출품될 것만 제작하면 될 것이다.

내용이나 의미를 알기 위한 정보로서의 이용은 원본을 컬러 복사한 것으로도 충분하다. 복사기의 성능이 나날이 좋아지고 있기 때문이다. 『신편 나카하라 추야 전집』을 편집할 때 이용한 것은 육필원고를 컬러 복사한 것이었다. 이때 꼭 원본과 대조해 보고 싶었던 것은 400자 원고지 100매 중 겨우 한 글자 정도였다. 앞으로 복사기의 성능은 계속 좋아질 것이기 때문에 복사 자료를 어떻게 활용할 것인가 하는 것도 궁리해두어야 한다.

반면, 문학관의 활용 여하는 어찌되었든, 육필자료를 무분별하게 복사하여 문학관 외부로 유출시켜서는 안 된다. 복사의 특성상 무한 복사가 가능하기 때문에 자료의 희귀성이 상실될 우려가 크다. 특히 컬러복사물은 더욱 유의해야 한다. 더구나 복사는 필연적으로 자료의 손상을 초래한다. 문학관 외부에 복사물을 제공하는 일은 이러한 우려가 없는, 아주 예외적인 경우로 한정해야 한다.

6. 자료 수집 네트워크

유족 다음으로 문학관이 수집·소장하고자 하는 자료를 가지고 있는 곳은 작가의 친구와 지인들이다. 특히 작가가 주고받은 편지가 중요하다. 일본근대문학관에서는 사타 이네코[78] 씨의 유고와 유품을 유족에게 일괄 기증받은 바 있다. 그 속에는 나카노 시게하루[79]를 비롯해 작가가 여러 사람들에게 받은 편지가 다수 포함되어 있다. 작가가 친구·지인들과 주고 받은 편지가 모두

---

78 佐多稲子(1904~1998). 소설가.
79 中野重治(1902~1979). 소설가, 시인, 평론가, 정치가.

갖추어졌을 때 비로소 작가의 친구 혹은 인간 관계를 알 수 있다. 하지만 사타 씨가 나카노 시게하루나 다른 사람들에게 부친 편지는 당연히 들어있지 않다. 사타 이네코 컬렉션을 보다 충실히 하는 방법은 작가가 친구나 지인들에게 보낸 편지까지 수집하는 것이다. 일본근대문학관이 이러한 계통적 수집까지 하기에는 여러모로 무리가 있지만, 작가 기념관은 그와 같은 노력을 아껴서는 안 된다.

자료의 계통적 수집은 문학관 직원들이 하기에는 현실적으로 힘에 부치는 경우가 많기 때문에 연구자의 도움을 받아야 한다. 따라서 문학관은 연구자들의 지원 체제를 반드시 갖추고 있어야 한다. 일본근대문학관은 임원진에 연구자가 많기 때문에, 그분들로부터 어디에 어떤 자료가 있고 소유자가 처분할 것 같다는 정보가 자연스럽게 입수된다. 대개 자료의 기증은 이러한 연구 자분들이 문학관과 소유자 사이에 다리 역할을 해주기 때문에 가능한 일이다.

연구자들에게는 문학관의 운영과 기획 등에 대해서도 적절한 조언이나 시사도 받을 수 있다. 문학관은 객관적이고 넓은 시각을 가진 연구자들과 네트워크를 구축하는 데 주의를 기울여야 한다.

자료의 입수 방법은 정말 다양하다. 심사숙고하여 상황과 방법에 맞게 적절히 대처하는 것이 문학관 관계자의 책무라 할 수 있다.

7. 자료 기증 및 기탁자에 대한 예우

어느날 고미야 도요타카[80] 선생의 유족이 일본근대문학관에 오신 적이 있다. 마침 '꽃들의 시가' 전이 진행되고 있을 때였다. 필자가 직접 전시를 안내해드렸는데, 전시실에 들어서자마자 나쓰메 소세키 서축[81]에 주목하셨다. '해는 봄처럼 길고 마음은 들판의 물을 따라 비었네. 평상 앞 꽃 한 송이 졸음 속을 아련하게 흐른다'.[82] 『생각나는 것들』의 서른 번째 문장 끝에 적혀 있는 구절로 소세키가 슈젠지의 대환[83] 후 요양 중이던 때의 작품이다.[84] 고미야 선생의 유족들은 이 작품을 보며, "이것은 우리들이 드린 거네요"라고 작게 말했다. 곁에 있던 사무국 직원이 "네, 그렇습니다"라고 대답했는데, 필자는 부끄러움에 얼굴에 불이 붙는 듯

---

80 小宮豊隆(1884~1966). 독문학자, 문예 · 연극평론가.
81 書軸. 글씨를 쓴 족자.
82 원문은 다음과 같다. 日似三春永 心隨野水空 牀頭花一片 閑落小眠中.
83 修善寺大患. 1910년 여름, 나쓰메 소세키는 위장병 요양 차 이즈 슈젠지온천의 한 여관에 묵고 있었는데, 이 무렵 병세가 더 악화되어 약 800그램의 피를 토하고 생사를 가를 정도로 위독한 상태에 빠진 일을 말한다.
84 『생각나는 것들』은 나쓰메 소세키의 짧은 글 모음집이다. 이 글들은 소세키가 생명이 경각에 달렸던 '슈젠지의 대환' 전후 심신의 변화를 적은 것으로, 총 서른 세 편의 짧은 글들로 이루어져 있다. 각 글의 끝에는 하이쿠나 한시 한 편이 부기되어 있는 경우가 많은데, 위 본문에 나온 한시는 서른 번째 글 말미에 있는 것이다. 『생각나는 것들』은 1910~1911년 『도쿄아사히신문』에 연재되었으며, 작가 생존 중 『오려낸 것들 중에서』(1911)라는 책으로 다른 글들과 함께 단행본으로 출판된 바 있다.

했다.

필자는 그분들이 오기 전 사무국장에게 고미야가 기증 목록을 받았는데, 미처 이를 살피지 못했다. 더욱이 '꽃들의 시가' 전은 필자가 기획하고 구성했기 때문에 그분들이 먼저 말씀하시기 전에 직접 감사를 드려야 하는 게 도리였다. 필자의 실례에 그분들이 불쾌하게 느꼈어도 어찌 보면 당연한 일이 되고 만 것이다.

자료를 기증받았을 때 문학관은 어떻게 감사의 마음을 표현하면 좋을까. 필자도 일본근대문학관을 비롯한 여러 문학관에 자료를 기증한 적이 있어 그에 대한 감사 편지를 받곤 한다. 필자의 기증과 그에 대한 감사 인사가 실린 문학관 간행물을 볼 때도 있다. 이 정도면 됐다고 할 수도 있지만, 기증자 대부분은 자신들의 좋은 뜻에 문학관이 제대로 대우하지 않는다고 느끼는 건 아닐까.

기증 자료를 전시할 때는 물론 모든 기회에 감사의 마음이 전달될 수 있도록 문학관은 세심한 배려를 아끼지 말아야 한다. 고미야 선생 유족들의 문학관 방문은 그런 반성을 하게 된 계기였다.

8. 자료 정리

자료 관리에 필요한 정보

문학관에 입수된 자료의 정리와 관리는 퍼스널 컴퓨터(이하 '컴퓨터'라 함)를 이용하는 것과 수기로 처리할 때의 방법이 완전히 다르다. 하지만 관리해야 할 정보의 내용이 다른 것은 아니다. 문학관이 관리해야 할 정보는 풍부하면 풍부할수록 좋지만 인력과 비용 등의 문제로 인해 한계가 생기는 것은 어쩔 수 없다. 또한 문학관의 유형이나 운영 목표에 따라 정보 관리의 깊이와 수준도 다를 수 있다.

도서 관리에 필요한 정보는 저자명, 제목, 출판사명, 출판연월일, 기증자, 유족의 주소와 이름, 초판과 재판의 구별 등이다. 서문과 발문의 필자, 장정한 사람, 인쇄 쇄차도 관리해야 할 정보이다.

다카무라 고타로 시집 『지에코초』는 1941년 초판 제1쇄가 발행되었다. 그리고 이 책의 판권면을 근거로 1944년 발행의 제13쇄까지 초판으로 간주된다. 그런데 기타가와 다이치 씨는 제8쇄와 제9쇄 사이에 상당한 차이가 있다는 점, 즉 제9쇄는 완전히 다른 판본으로 개판改版되어 제9쇄는 제2판 제1쇄로 보아야 한다는 점을 언급한 바 있다. 초판 제1쇄라 해도 장정이 다른 판본도 있고, 메이지 시대 도서에는 같은 초판본이라도 서로 다른 여러 종류가 있을 수 있다. 이는 판권에 기재된 것을 그대로 믿어서는 안 된다는 것을 말해준다.

아울러 장정한 사람 이름도 서지 정보의 하나로 기술해야 한다. 보는 관점에 따라 다를 수 있지만, 도서란 내용을 이루는 글과 겉을 꾸미는 장정이 합쳐진 종합 작품이다. 장정은 시대와 함께 취향을 달리하는데, 장정한 사람의 개성에 따라서도 차이가 난다. 또한 장정은 전시나 연구의 대상이 되기도 한다. 자료를 정리할 때 장정한 사람의 이름을 서지 정보의 하나로 명기하고 검색도 가능하도록 해야 한다.

컴퓨터를 이용한 서지 정보 관리

컴퓨터로 서지 정보를 정리·관리하면 여러 가지가 편리하다. 우선 자료 정보 입력을 한 번에 할 수 있다. 검색 키워드로 저자명, 제목 등의 서지 정보도 바로 찾아낼 수 있다. 열람자에게 제공해야 할 정보를 사무 관리용 정보와 구별하여 제공하는 것도 쉽고, 대장이나 목록, 카드를 작성할 필요도 없다. 컴퓨터의 도입이 일손을 더는 데 크게 기여한 것은 분명하다.

국립정보학연구소 종합목록 데이터베이스NACSIS-CAT, NC[85] 등 각종 데이터베이스를 검색한 뒤 그 속에 이미 입력된 정보를 다운로드하여 이것과 문학관의 독자적 서지 정보를 합치면, 모든 것을 직접 입력하지 않아도 된다. 이러한 종합 데이터베이스에 없는 도서와 잡지에 대해서만 새로 입력하면 되는 것이다.

하지만 컴퓨터를 이용한 자료 관리에는 커다란 함정이 있음을 유의해야 한다. 우선 입력은 인간의 손으로 할 수밖에 없는데, 인간의 작업에는 늘 오류가 있을 수 있다. 일단 오류가 생기면 재검토는 매우 어렵다. 한편, 대장이나 목록, 카드 등을 직접 작성하거나 혹은 옮겨 적어야 할 경우에는 그때마다 그 도서와 잡지를 확인하게 되는데, 이때 자연스럽게 자신의 문학관에 어떤 자료가 새로 소장되는지를 상세히 알 수 있다. 또한 몇 사람의 수작업을 거치는 동안 오류를 알아차리는 때도 있다. 컴퓨터를 이용하면 자료에 대한 정보를 쉽게 얻을 수는 있어도 직원들 스스로 직접 체화된 지식으로 만드는 것은 불가능하다. 기존 정보에 의지하게 되면 자료 관리에 대한 태도나 마음가짐이 수동적이 되기 쉬워 각 문학관에 적합한 분류나 정리 체계를 구축하는 것은 어려워진다. 컴퓨터를 이용한 자료 관리의 장단점에 대해 철저히 자각·인식하고 있어야 하는 것이다.

---

85 일본 국립정보학연구소가 제공하는 일본 최대의 종합목록·소재 정보 데이터베이스.

자료 정보 표기 통일

9년쯤 전부터 매년 1월이 되면 일본근대문학관에서는 문학관 직원 연수 강좌가 3일간 진행된다. 강사는 일본근대문학관 직원이다. 매년 수강생이 몇 명밖에 되지 않는 것이 유감인데, 많은 문학관에서 새삼스레 연수를 받을 만한 강좌는 아니라고 속단하는 게 아닐까 싶다.

이 연수 강좌의 목적은 크게 두 가지이다. 우선, 일본근대문학관이 30여 년에 걸쳐 축적한 자료 관리 관련 지식·노하우를 아낌없이 공개하여 전국 문학관 자료 관리의 질을 향상시키는 것이다. 필자가 아는 한 이 연수 강좌의 교재만큼 자료 관리에 대한 충실한 정보를 담은 책자는 그 어디에도 없다. 자화자찬이라 해도 이는 사실이다.

둘째, 강사를 담당하는 일본근대문학관 직원이 평소 업무와 그 업무를 처리하는 방법에 대해 철저히 분석하고 조리 있게 정리하여 초보자에게 전달하는 것을 스스로 익히는 것이다. 이른바 숙달된 직원의 지식·노하우를 매뉴얼화하는 것이자 이를 다음 세대에 전달하는 것이다.

서지 정보는 별도로 하고, 이 교재는 자료 정보 표기 방법에 대해 다음과 같이 설명한다. 저자명의 성과 이름 사이는 한 칸 띄고, 후리가나로 표기할 때는 성과 이름 사이에 ','를 넣는다.

고유명사 이외의 숫자는 아라비아 숫자로 적는다. 자료 입수 연월일의 표기는 서력으로 한다. 이러한 규칙에 따라 자료 정보 표기를 통일하는 것이다. 서지 사항도 동일한 규칙에 근거하여 직원 누구나 기술하고 입력할 수 있다. 어찌 보면 이러한 규칙은 당연한 것이다. 하지만 일정한 규칙 없이 입력하는 사람 마음대로 기술하고 입력한다면, 수습이 불가능한 혼란이 생길 수 있다. 카드의 경우에도 마찬가지이다. 어떤 규칙이나 기준 없이 제각각 작성된 카드는 데이터로서 하등 의미가 없는, 따라서 이용이 불가능한 것이 되고 말 것이기 때문이다.

미정리 자료 인수시 유의점

우리가 특별 자료로 칭하는 원고, 일기, 노트, 편지와 같은 육필 자료나 유품 등의 정리는 도서나 잡지에 비해 매우 어렵다.

우선 이러한 자료는 작가 유족, 연구자, 수집가 등으로부터 정리되지 않은 상태 그대로 일괄 기증되는 경우가 많다. 최근 일본 근대문학관에 기증된 다케다 다이준[86] 씨 관계 자료가 그 예이다. 딸 다케다 하나 씨로부터 다음과 같은 내용의 전화가 왔다. 내용을 알 수 없는 자료들이 골판지 상자에 들어 있다. 이를 기

---

86   武田泰淳(1912~1976). 소설가.

증하고 싶은데 받아줄 수 있겠느냐 하는 것이었다. 하나 씨가 말한 수십 개의 상자는 제1차 전후파문학의 보고라고 할 수 있는 것들이다. 필자로서는 뜻밖의 요청을 받은 셈이었다. 하지만 그녀는 자료를 정리해야 하는 문제가 있으니 혹시 문학관에 폐를 끼치는 것은 아닌지 걱정을 한 듯하다.

이러한 자료를 정리할 때는 다음과 같은 것을 주의해야 한다. 먼저 원고의 경우를 보자. 원고는 언제 집필되었는지 시기를 확정해야 하고 발표된 것인지 여부를 구별해야 한다. 또한 발표되었다면 발표지가 무엇인지 확인해야 하며, 발표 형태의 차이 등에 대해서도 알아보아야 한다. 일기, 편지를 비롯한 육필은 읽어내는 독해 작업도 해야 하는데, 이는 쉬운 일이 아니다. 편지는 발송한 연도 확인에 많은 노력이 필요하다. 이런 것들을 조사·연구·정리해야 하지만 다케다 하나 씨가 걱정할 필요는 전혀 없다. 이러한 자료를 수집하고 정리·보존하는 것이 일본근대문학관의 가장 중요한 책무이기 때문이다.

덧붙여 자료를 일괄로 기증받았을 경우, 제1차 정리 이전에는 무엇을 받았는지가 분명치 않다. 따라서 자료 인수 시 아주 간단한 대강의 목록이라도 작성해두는 것이 필요하다.

아울러 최종 정리까지 시간이 걸린다는 짐에 대해 기증자의 충분한 양해를 얻어두어야 한다. 노력과 수고 없이 자료 수집은 불가능한 것이다.

육필 자료 서지사항 입력시 유의점

우리가 특별 자료로 부르는 육필 자료 정리가 어려운 것은 서적이나 잡지와 달리 자료 그 자체의 기본 데이터조차 불분명한 것이 많기 때문이다. 이러한 자료를 정리할 때는 다음과 같은 내용을 염두에 두어야 한다. 정리에 필요한 사항을 모두 조사하지 못했더라두 신속히 대장에 기입하고 카드를 작성하거나 컴퓨터 입력 작업을 진행해야 한다. 미진한 내용은 나중에 보충하면 되기 때문이다.

입력해야 할 서지사항을 앞서 소개한 문학관 직원 연수 강좌의 강의록에서 인용해보면, 일본근대문학관에서는 아래와 같은 사항을 입력한다.

수량, 크기, 입수처, 구입·기증·기탁 연월일, 집필·제작 연월일, 자료상태, 배가장소 등은 모든 분류에 공통된다. 이 밖에 필요한 정보는 인명과 사항을 키워드로 각각 정리하는 방법이 있는데, 전자의 경우는 다음과 같다.

① 원고: 타이틀, 원고·초고(草稿)[87]의 구별, 육필·워드프로세서·청서(淸書) 원고·자필·타필(他筆) 등의 구별, 원고지의 글자 수, 필기구, 첫 발표 지면·초판 관련 서지 데이터, 기초(起

---

[87] 원고는 인쇄나 공개를 목적으로 쓴 글이며, 초고는 초잡은 글, 즉 초고를 말한다.

草)시기(알 수 있을 때), 미발표일 경우 그 이유

② 편지 : 자료명은 ○○ 앞 편지로 함, 발신일자(자필 날짜가 우선이며 없을 경우는 소인) 부기, 발신지, 봉투에 넣은 편지·엽서·그림엽서의 구별, 편지지·두루마리·줄이 쳐진 종이 등의 구별, 봉투의 유무, 내용 요약, 수신인은 부조카드(컴퓨터인 경우는 키워드로 입력)로 표시함[88]

③ 일기 : 어디에 쓰여 있는가(일기장, 노트 등), 필기구, 기발표(어디에 언제)·미발표의 구별

이하는 항목만을 들어보면, ④ 자필문서, ⑤ 필묵, ⑥ 원화, ⑦ 회화, 조각 ⑧ 오려 낸 것, ⑨ 인쇄물, ⑩ 문서, ⑪ 사진, ⑫ 유품, ⑬ 기타 등이다.

이러한 정리와 분류는 당연히 하루아침에 되는 것이 아니다. 각 문학관이 시행착오를 거쳐 자신들만의 방법을 확립했을 때 비로소 가능할 것인데, 이와 같은 정보는 문학관들이 서로 공유해야 한다.

---

88 반드시 '카드'를 만든다는 것은 아니다. 편지의 경우, 편지를 쓴 발신인에 대한 것이 중심 정보이며, 수신인은 '○○앞'이라는 기본 정보-자료명을 입력하기 때문에 그 이상은 보조적으로 작성·취급한다는 뜻이다.

자료 정리와 분류의 필요성

자료를 정리할 때 분류는 반드시 해야 하는 것일까. 극단적으로 말하면, 컴퓨터를 이용할 경우 분류는 필요하지 않을 수도 있다. 즉 입수한 순서대로 자료에 번호를 붙여 입력해두면 적당한 키워드 검색을 통해 찾고자 하는 자료와 그 번호를 확인할 수 있다. 예를 들어 간단한 컴퓨터 검색만으로 특정 작가의 작품이나 그와 관련된 평론 종류의 목록을 바로 알 수 있는데, 그 목록 속의 도서 번호를 통해 찾고자 하는 특정 자료를 서가에서 꺼낼 수 있는 것이다.

하지만 역시 분류는 반드시 해야 하는 일이다. 분류는 무엇 때문에 필요한 것일까. 자료를 서가에 배치하는, 이른바 배가를 위해 필요한 것이다. 필자는 자료들이 서고나 수장고 곳곳에 흩어져 있는 것을 상상하는 것조차 끔찍하다. 컴퓨터가 있어야 자료를 찾을 수 있다면 이는 매우 두려운 상황이라 하지 않을 수 없다. 서가를 일별만 해도 특정 자료의 위치나 상황을 알 수 있으면, 일일이 컴퓨터의 도움에 기댈 필요가 없다. 서고에 들어가면 찾고자 하는 자료뿐만 아니라 그 주위에 있는 것도 자연스럽게 눈에 들어온다. 이런 시간과 경험이 쌓이면 소장 자료의 전모도 저절로 숙지될 터인 바, 이는 문학관 직원들에게 더할 나위 없이 소중한 자산이라 할 수 있다.

필자는 일본근대문학관 사무국 직원들이 일본 근대문학에 대한 폭넓은 지식의 소유자라는 사실에 자주 놀라곤 한다. 그들은 수장고 속의 자료를 일상적으로 접하면서 자연스럽게 일본 근대문학에 친숙해진 것이다. 즉 열람 신청된 자료를 찾는 과정에서 해당 자료뿐만 아니라 그 주위에 있는 자료까지 알게 되고 나아가 이러한 과정이 축적되면서 일본 근대문학에 대해 많은 것들을 알게 되는 것이다. 이러한 직원을 길러내는 것도 문학관의 책무이다.

자료 분류 방법

분류는 원칙적으로 일본 십진분류법을 따른다. 십진법을 따를 경우, 예를 들면, 문학과 의학은 분류가 다르기 때문에 같은 모리 오가이의 저서라도 동일한 분류번호를 부여할 수 없다. 이렇게 되면 여러가지 불편한 일이 생길 수 있기 때문에 문학관은 문학관만의 독자적인 분류법을 고안해야 한다.

과거에는 수억 엔이나 하는 많은 단말기가 달린 대형 오피스 컴퓨터 시스템을 이용하는 것이 일반적이었는데, 현재는 컴퓨터 서버로 충분해졌다. 오히려 예전보다 훨씬 더 많은 대용량의 정보를 훨씬 더 싼 가격으로 처리할 수 있는 시대가 되었다. 소프

트웨어도 도서관용으로 여러 종류가 시판되고 있는데, 이를 문학관에 사용하려면 수정이 필요하다. 하지만 그 자체의 가격도 상당히 저렴해졌기 때문에 컴퓨터를 사용한 정보처리는 쉬워졌다고 할 수 있다. 다만 그러한 하드웨어나 소프트웨어의 가격이 싸졌다고 해도, 결국 각종 사항을 정확하게 입력하지 않으면 전혀 쓸모가 없다.

정확한 입력을 위해서는 입력 이전에 자료를 정확하게 이해하고 정확하게 정리하여 정확하게 분류해야 한다. 자료에 대한 정확한 이해와 정리·분류를 바탕으로 얻어진 정보를 입력하는 것은 역시 문학관 직원들의 수고인 것이다. 이런 의미에서 컴퓨터의 성능을 충분히 활용한다는 것은 직원의 수고, 그것도 고도의 능력이 들어가는 수고이다. 자료에 대한 이러한 능력 없이 컴퓨터를 이용한다는 것은 상당히 위험한 일일 뿐 아니라 문학관 기능의 파괴까지 초래할 수 있다.

컴퓨터 활용 여하도 결국 사람의 문제로 귀착되는 것이다.

자료 정리의 어려움

언젠가 다카하시 히데오[89] 씨의 수필에서 읽었던 내용이다.

---

[89] 高橋英夫(1930~). 문예평론가.

이사를 한 다카하시 씨는 장서 정리를 해야 했는데, 장서의 1/3 정도를 젊은 지인에게 부탁했다. 아주 훌륭하게 정리가 되었는데 막상 이용하려 하니 곤란했다고 한다. 이 부분을 읽고 틀림없이 그럴 수 있겠구나 하고 생각했다.

실제 자료의 분류를 나카무라 미쓰오[90]를 예로 들어 생각해보자. 즉 나카무라 미쓰오의 저서 『나가이 가후론』을 저자의 저서로 분류해야 할지 혹은 나가이 가후 연구서로 분류해야 하는지 하는 문제가 생길 수 있다. 저서가 없는 사람이 쓴 가후론이라면 가후 연구서로 분류하면 될 것이다. 그런데 나카무라 미쓰오의 저서로 하면 나카무라 미쓰오라는 분류를 세워야 할 것이다. 필자도 시부사와 다카스케[91]의 『간바라 아리아케론』을 저자의 시집과 함께 서가에 배치할지 아니면 간바라 아리아케 관계 저서의 일부로 배치할지 고민 중이다. 자료의 분류 문제는 결코 간단하게 결정할 수 없는 것이다.

더구나 특정 저자나 그 저자 관계 연구서 등을 같이 배가할 때, 같은 분류에 속하는 책들이 해마다 늘어나는 것은 어쩔 수 없다. 필자의 장서는 정말 보잘 것 없지만 같은 분류의 어떤 신간을 입수했을 때는 반드시 그 주변의 도서를 어딘가 다른 곳으로 옮겨 필요한 공간을 만들어야 한다.

90 中村光夫(1911~1988). 문예평론가.
91 渋沢孝輔(1930~1998). 시인, 불문학자.

백수십만 점의 자료를 소장하고 있는 일본근대문학관은, 예컨대 새로운 소세키 전집이 간행되면 수용 공간을 확보하기 위한 큰 폭의 도서 이동이 필요하다. 필자는 넉넉한 공간을 가진 수장고가 있었으면 하는데, 현실적으로 쉽지 않은 일이다. 그렇지만 어렵다고 해서 그냥 손 놓고 있어도 좋다는 것은 아니다. 연구와 노력 이외에는 방법이 없다.

9. 자료 보존

어떻게 자료를 보존해야 할까

일본근대문학관에서는 케이스, 띠지, 자켓, 서표書標에 이르기까지 모두 그대로 보존하는, 이른바 원형 보존이 창립 이래의 기본 방침임은 앞서 말한 바 있다. 이는 도서관의 보존 방침과 결정적으로 갈라지는 지점이다.

케이스, 띠지, 자켓 등이 가진 미술적 의의는 논외로 하고, 이러한 것들에 있는 글에는 저자의 뜻이 반영되어 있는 경우도 많다. 저자 자신이 띠지의 글을 쓴 사례도 드물지 않다. 따라서 이들도 문학 작품의 중요한 일부로 생각해야 한다. 도서에 커버를 씌우고 그 위에 분류 라벨을 붙여야 하는 이유가 여기에 있다. 도서관에서 대부분 버리는 서표에도 귀중한 정보가 담겨 있는 경우가 많다. 전집 속에 들어 있는 월보에도 중요한 내용이 들어 있기 때문에 필자는 월부를 별도로 제본하여 보존하고 있다. 모든 연구자는 책에 대해 이 같은 마음가짐을 갖고 있을 것이다.

육필원고, 엽서 등은 폴리프로필렌 재질의 홀더에 수납해야 한다. 열람자의 손이 직접 자료에 닿지 않도록 하기 위함이다. 이러한 홀더를 여러 문학관들이 공동으로 사용하면 상당히 경제적일 것이다.

양이 많은 원고는 10~20매씩 홀더에 넣고 그것을 다시 중성지로 된 보존 상자에 수납해야 한다. 전통적인 정교한 오동나무 상자는 철못이나 접착제 등을 쓰지 않기 때문에 오랜 세월이 흘러도 높은 기밀성을 유지할 수 있다. 자료의 보존에는 가장 좋지만 가격이 비싸 실용적이지 않다. 저렴한 오동나무 상자나 나무 상자는 조악하고 기밀성이 좋지 않을 뿐더러 접착제가 나쁜 영향을 끼치기 때문에 자료 수납에는 적합하지 않다. 종이 자료는 중성(약알칼리성) 환경에서 보존하는 것이 바람직하다. 따라서 문학 관계 자료를 보존할 때는 어중간한 오동나무 상자보다 최근 개발된 중성제지 수납상자를 사용하는 것이 좋다.

수장고의 내화·내진구조, 공조설비

문학관의 자료 수장고가 내화·내진 건조물이어야 한다는 것은 상식이다. 하지만 반드시 상식이라고는 단정할 수 없을 듯하다. 필자는 '"빈 공간'[92] 수십 평방미터를 갖출 것'을 명기한 어떤 문학관의 설계모집 요강을 보고 눈을 의심한 적이 있다. 문학관에 필요한 것은 빈 공간이 아니다. 물론 창고도 아니다. 문학 자료라는 특수한 종이 자료를 보관·관리할 수 있는 수장고이다. 이러한 수장고의 필요성에 대해 설계를 공모하는 지방자치단체는 물론 설계에 응모하는 건축가도 모르는 경우가 많다. 그러한 설계 공모를 통해 바람직한 문학관 자료 수장고를 기대하는 것은 무리이다. 이는 지방자치단체 당국은 물론 건축가들도 인식해야 하는 문학관 수장고에 대한 하나의 기본 사항일 뿐이다.

수장고에 내화·내진 구조 및 설비는 당연한 것이다. 아울러 내부를 항온·항습 상태로 유지하는 공기 조절 설비도 갖추는 것이 좋다. 온도와 습도의 변화로 인해 자료의 손상이 발생하기 때문이다. 하지만 공기 조절 설비가 있다고 해서 수장고 내부의 항온·항습이 유지되는 것은 아니다. 수장고만은 사무실과는 달리 연중 24시간 가동하는 것이 좋지만 많은 경우 실제로는 그렇

---

92   원문은 '物置(모노오키)'이다. 일본에서 일반적으로 '物置'는 물건을 두는 작은 창고를 가리킨다. 건물 내·외부 모두 둘 수 있으며, 최근에는 상품으로 판매도 한다고 한다.

지 못한 것 같다. 공조 설비를 하루 8~10시간 정도만 가동한다면, 한난의 변화가 생기게 되고 이것이 자료의 손상을 초래한다. 같은 실내 공간이라도 채광이나 공기 순환의 정도가 다르기 때문에 공조 설비가 있다고 해서 반드시 온도와 습도가 일정하게 유지되는 것은 아니다. 일본근대문학관은 나리타 분관을 고상식高床式[93]으로 설계했고, 천장과 지붕 사이에 충분한 공간을 두었는데, 이는 자연 공기를 순환시켜 수장고 내부를 최대한 항온·항습으로 유지하기 위해서였다. 공조 설비는 가장 추울 때와 가장 더울 때에만 보조적으로 사용한다. 이는 수장고 설계 및 건축에 참고가 될 것이다.

자료 손상 원인

종이 자료가 중심인 문학 자료는 손상을 피할 수 없다. 우리가 할 수 있는 것은 최대한 손상의 속도를 늦추는 것이다. 우리에게는 100년 혹은 그 이전 선조들에게 물려받은 자료를 후손들에게 전해줄 책임이 있다. 따라서 손상 속도를 늦추는 것이 가능한 전부라고 해도 그것을 위한 최선의 방법을 찾아야 하다.

일본근대문학관 연수 강좌 교재에는 자료 손상의 원인으로 다

---

93 지면에 세운 기둥 위에 높게 깐 마루를 가진 건축물.

음과 같은 내용을 담고 있다. 종이 자체가 가진 성질, 빛, 온도·습도의 변화, 대기오염, 곰팡이나 벌레 등의 생물, 문학관 직원들의 부적절한 자료 취급 등 다양한 요인이 복합적으로 작용하여 자료의 손상을 초래한다고 한다.

우리는 종이 자체가 손상되기 쉬운 소재라는 것을 쉽게 잊는다. 종이는 친수성이 커 습도에 약할 수밖에 없다. 종이 제조 과정에서 사용되는 약품류도 손상의 원인이 된다. 한편 화지[94]는 수백 년이 지나도 멀쩡한데, 이는 근대의 양지와 달리 제조할 때 약품을 사용하지 않기 때문이다. 또한 옛 사람들이 습도 관리에 만전을 기했기 때문이기도 하다.

빛에 노출되면 자료가 퇴색되는 것은 주지의 사실이다. 필자는 어떤 문학관에서 그림엽서의 글자가 완전히 사라져 읽을 수 없게 된 끔찍한 광경을 본 적이 있다. 같은 종이라 해도 화지와 양지는 빛에 노출되었을 때의 퇴색 정도가 다를 것이다. 또한 묵서와 펜글씨는 물론 같은 양지라 해도 종이 질에 따라 퇴색 정도가 같지 않을 것이다.

빛에 의한 자료의 퇴색을 막는 것은 문학관 관계자에게 상식일 터이다. 그런데 지방자치단체의 담당 부서도 반드시 같은 상식을 갖고 있다고는 할 수 없다.

---

94   和紙. 일본 전통 종이.

퇴색 방지와 직사광선, 조명

앞서 어떤 문학관이 전시실에 직사광선이 들어올 수 있게 설계된 것을 지적한 바 있다. 전시실을 커튼으로 가릴 것을 건축가에게 제안했는데, 건축물로서 미관을 해친다는 이유로 거부된 것도 이야기했다. 똑같이 설계된 또 다른 문학관이 있었는데, 여기에서는 건축가가 커튼을 승낙했다고 한다. 하지만 커튼으로 직사광선을 막는 것은 퇴색 방지에는 아무래도 불충분하다. 결국 이들 문학관은 전시 자료를 원본 대신 모두 복제품으로 바꾸었다고 한다. 필자는 건축가의 이러한 오만과 무지에 심한 분노를 느끼지 않을 수 없다. 마찬가지로 그러한 건축가에게 자의적 설계를 맡긴 발주처, 구체적으로는 지방자치단체의 인식 결여에도 개탄을 금할 수 없다.

직사광선에 노출된 전시는 논외로 하자. 일반적으로 전시실은 직사광선이 들어오지 않도록 설계되어 있다. 또한 조명 기구도 보통 UV컷이라 불리는 자외선 차단 제품을 사용한다. 하지만 이러한 조명 기구를 사용하는 것이 문제의 해결책은 아니다. UV컷 조명 기구를 사용한다 해도 자료의 퇴색을 막을 수는 없다. 종이 자료는 빛을 흡수하기 마련인데, 흡수된 빛이 축적되면 종이에 포함된 셀룰로오스에 영향을 미쳐 퇴색이 발생하기 때문이다.

필자는 정밀한 실험을 통해 조명과 퇴색의 관계 및 실태를 분명하게 규명하고 싶다. 조명의 강도, 조명 기구와 전시물과의 거리, 조명 시간의 길이 등이 모두 퇴색과 관계가 있을 것이다. 이러한 실험은 사무직원이 일상 업무를 보면서 할 수 있는 것이 아니기 때문에 전문기관에 외주를 주어야 할 것이다. 문학관은 당연히 그 비용을 각오해야 한다.

우리는 종이 자료 자체의 약점과 결점을 보다 정확하게 알고 있어야 한다. 이것이 자료 보존을 위한 첫 걸음이라고 할 수 있다.

공기 조절 설비

습도나 온도가 자료 상태에 미치는 영향을 살펴보자. 습도가 높으면 곰팡이가 생기기 쉽고 또 너무 낮으면 균열과 수축이 일어난다. 온도가 높으면 자료에 들어 있는 화학 물질의 반응이 촉진된다. 또한 급격한 온도 변화는 상대습도의 변화를 초래하는데 이로 인해 자료 속 수분이 날아가 종이 질이 악화된다. 마찬가지로 과도하게 낮은 온도도 좋지 않다.

또한 수장고 내 공기 조절 설비가 만능이 아니라고 가정해보자. 그러면 온도와 습도를 어떻게 적절히 유지할 수 있을까. 우선 수장고 내부의 통기성을 좋게 해야 한다. 그리고 공기 흡입구와 배출구를 정교하게 설계하여 수장고 내 공기를 균질적으로 순환시킬 수 있어야 한다. 이렇게 되면 수장고 내부의 온·습도는 상당한 수준에서 일정하게 유지될 수 있을 것이다. 또한 필자는 서가를 바닥에서 어느 정도 간격을 두어 설치하는 것이 효과적이라고 알고 있다. 서가와 천장과의 사이에 충분한 공간을 두는 것도 마찬가지일 것이다.

종이 자료는 온도 변화에 매우 민감하다. 높아지든 낮아지든 온도의 변화는 자료를 손상시키는 원인이라고 한다. 수장고나 전시실 모두 낮과 밤의 온도가 다르고, 전시진열장 내부도 전시실이 운영되는 하루 여덟 시간 동안 온도가 일정하게 유지되는 것은 아니다.

따라서 온도와 습도 변화에 대한 실험이 필요할 것 같다. 이를테면 수장고의 여러 지점에 온·습도계를 배치하고 하루 종일 그 변화를 관찰하는 것이다. 실험 결과를 바탕으로 수장고 내 공기 조절 설비를 설계·설치한다면 그 효과가 매우 좋지 않을까. 이는 전시실에 대해서도 마찬가지이다.

공기 조절 설비는 만능이 아닌 것은 물론 오히려 유해할 수도 있다.

자료 보존에 대한 마음가짐

처음 전자부품 공장을 견학했을 때의 일이다. 공장 측으로부터 신발을 갈아 신을 것과 옷 위에 코트를 착용할 것을 요구받았는데, 견학을 하는 우리들의 안전을 위해서가 아닌 전자 부품의 오염을 막는 데 그 이유가 있었다. 마치 '이것저것 요구 사항이 많은 요리섬' 같은 느낌이었다. 일본근대문학관 수장고에 들어갈 때 슬리퍼로 갈아 신는 것도 역시 자료를 보호하기 위함이다. 오염된 공기를 마시고 사는 우리는 쓰레기나 먼지 속에서 생활하고 있는 것과 같다. 따라서 수장고에 출입할 때 쓰레기나 먼지가 들어가지 않도록 주의하는 것은 너무나 당연한 것이다.

아울러 곰팡이나 벌레 등의 구제驅除에도 신경을 써야 한다. 문학관 가운데는 훈증 설비를 갖춘 곳도 있고 정기적으로 훈증 작업을 하는 곳도 있다. 다만 훈증에 사용되는 프론가스가 사용이 금지되어 있어 현재는 거의 하지 않는다고 하는데, 가까운 시일 내에 프론가스 대체 약품이 개발되지 않을까 한다. 어찌보면 결국은 선조들이 해온 거풍擧風[95]이 보다 확실하고 안전한 방법일 수도 있다. 하지만 자료의 양과 들어가는 품을 생각하면 거풍은 현실적으로 거의 불가능하다.

자료의 상태를 잘 파악하는 것과 자료를 항상 청결하게 하는

---

95 虫干し. 쌓아두었거나 바람이 통하지 않는 곳에 두었던 물건에 바람을 쐬어줌.

것, 손상의 원인이 되는 이물질을 제거하는 것 그리고 자료를 정성껏 다룬다는 기본 자세나 마음가짐이 무엇보다도 중요하다고 할 수 있다. 공기 조절 설비나 조명 모두 앞으로 계속 나아질 것이다. 하지만 앞서 컴퓨터를 이용한 자료 관리에서 말한 바와 같이 궁극적으로는 사람, 즉 인간의 문제이다. 이것이 필자의 소박한 결론이다.

얼마나 자료를 소중히 생각하는가. 이런 자각을 문학관 이사진과 직원들이 갖지 않는 한 문학관은 그 사명을 다할 수 없다. 동시에 그 미래도 암울할 수밖에 없다.

10. 자료 공개

문학관이 수집하여 보존·소장하고 있는 자료는 연구자들에게 열람 자료로 제공해야 한다. 이를 통해 일본 근현대문학 연구에 기여하는 것이 문학관의 목적이다. 따라서 모든 자료는 공개하는 것이 마땅하다.

단 성리가 안 된 자료는 열람 대상이 아니다. 하지만 이를 구실로 열람을 거부하는 것은 허용될 수 없다. 특히 방대한 자료가 일괄 기증되면 이 사실이 미디어에 보도될 수 있다. 이렇게 되면 열람 희망자가 많아질 수밖에 없다. 많은 어려움과 수고가 따르겠지만 문학관 직원들은 기증된 자료를 열람이 가능하도록 최대한 빨리 정리해야 한다.

초판본이나 첫 발표 지면 같이 문학사적으로 중요한 자료는 자료 열람실에서만 볼 수 있다. 일본근대문학관에서는 도서관과 달리 도서, 잡지 등을 비롯해 자료의 관외 반출은 허가되지 않는다.

일본근대문학관이 특별 자료로 칭하는 육필자료류는 일본에 하나밖에 존재하지 않는 매우 귀중한 자료이다. 따라서 열람에 의해 파손되거나 더러워지지 않도록 많은 주의를 기울여야 한다. 이를 위해 직원들이 항상 볼 수 있는 특별한 장소에서만 열람을 허가해야 하는 것이다.

일본근대문학관은 인쇄물 형태로 공개된 자료만 열람을 허락해왔다. 이는 문학관 창립 이래 이어져온 일종의 관행으로, 일본근대문학관 상무이사를 지낸 이나가키 다쓰로[96] 교수의 방침을 따른 것이다. 이나가키 교수는 일본근대문학관 이사진의 특권 제한, 이를테면 기증받은 귀중 자료를 가장 먼저 열람해서는 안 된다고 주장했다. 문학관 이사라는 직위를 이용해 미공개 귀중 자료를 열람하고 그것을 바탕으로 논문을 써 자신의 업적으로 삼아서는 안 된다는 것이 그 이유였다. 이는 문학관과 이렇다 할

---

[96] 稻垣達郎(1901~1986). 일본 근대문학 연구자. 일본근대문학관 창립에 관계했으며 문학관 상무이사를 역임했다.

네트워크가 없어 소장 자료에 접근할 수 없는 일반 연구자 등을 배려한 것이다. 필자는 이러한 연구자·학자로서의 양심적인 자세가 일본근대문학관과 문학관 이사진이 가진 신용의 원천이라고 믿는다. 하지만 이로 인해 거꾸로 인쇄물 형태로 공개되지 않은 자료는 누구도 열람할 수 없는 상황이 생길 수 있는데, 이는 자료를 사장시키는 것과 같다. 이런 이유로 일본근대문학관에서는 기요나 관보 등을 통해 발표될 것이나 출판사와의 공동사업으로 자료집 형태로 발간될 가능성이 큰 것 등 공개 예정인 자료와 그렇지 못한 자료를 구분하여 후자는 열람을 허용하는 쪽으로 방침을 개정하기로 했다. 하지만 실제 그렇게 되었는지는 모르겠다. 자료를 공개 가능성 여부로 분류하는 것도 쉬운 일이 아닐 뿐더러 관심이 큰 자료는 인쇄물 형태로 출간될 가능성이 크다. 출간 가능성이나 관심이 적은 자료에 열람 희망자가 많지 않을 것은 물론이다.

이 외에 특정 기간 공표 금지를 조건으로 기증 및 기탁된 일기나 편지 등은 당연히 열람을 허가할 수 없다. 그렇지 않다 하더라도 어떤 연구자가 민감한 내용의 자료를 열람하고 논문을 썼는데, 그 속에 제삼자의 명예나 사생활을 침해하는 내용이 있을 수 있다. 이런 일들이 실제 일어나면 문학관은 어찌됐든 열람을 허락했기 때문에 법률적 책임이 미묘해진다. 이를 위해서는 미리 자료의 내용을 검토하여 문제가 생기지 않도록 조치를 취해 두어야 한다.

제3장 「전시」편을 완성하여 『전국문학관협의회회보』 제17호에 실린 「총론」편, 제 40호에 실린 「자료」편과 합쳐 이 글을 완결할 수 있게 되었다.[1]

일본근대문학관 이사장에서 물러난 후인 2008년 9월 15일 자 『일본근대문학관』 제225호부터는 「전시」편을 위해 한 페이지를 할당받았는데, 「총론」편과 「자료」편 때에 비해 매회 거의 두 회 분량을 발표할 수 있었다.

이 글들은 1998년 9월부터 2010년 7월까지 총 12년에 걸쳐 『일본근대문학관』에 연재한 것이다. 시간이 흘렀음에도 불구하고 내용이 시대에 뒤떨어졌다고는 생각하지 않는다.

전국문학관협의회 소속 문학관 관계자 분들에게 이 글이 다소라도 도움이 되길 희망한다. 필자는 전국문학관협의회 소속 문학관의 발전과 협력, 그리고 각 문학관의 충실한 활동을 마음속 깊이 바라고 있다. 그러기 위해서라도 이 글은 참조할 가치가 있다고 자부한다.

---

1   저자는 『일본근대문학관』에 2001년 5월부터 2008년 7월까지 연재한 「자료」
     편을 모아 『전국문학관협의회회보』 제40호에 수록했다.

1. 왜 자료를 전시하는가

아쿠타가와 류노스케[2]의 유서

어느 날의 일이다. 아쿠타가와 데루코[3] 씨가 일본근대문학관에 방대한 자료를 기증해주셨는데, 아쿠타가와의 유서가 제일 위에 있었다. 유서의 필체는 흘려 쓴 것 같았지만 어지럽지는 않았다. 아쿠타가와는 유서를 몇 통 남긴 바 있는데, 이는 그중 하나이다.

① 자신을 살리려는 노력 절대 엄금.

② 절명 후 오아나[4] 군에게 알릴 것. 그 전에는 오아나 군을 괴롭게 하고 세간을 떠들썩하게 할 우려 있음.

③ 절명하기까지 손님에게는 '더위먹음'이라고 할 것.

④ 시모지마[5] 선생과의 상의를 거쳐 자살과 병사로 하는 것 모두 가능. 만약 자살로 결정될 때는 유서(기쿠치[6] 앞)를 기쿠치에

---

2 芥川龍之介(1892~1927). 소설가.
3 芥川耿子(1945~). 아쿠타가와 류노스케의 손녀. 수필가, 아동문학자, 시인.
4 小穴隆一(1894~1966). 서양화가, 수필가. 아쿠타가와 류노스케의 둘도 없는 친구로, 1921년부터 작가의 저서 장정을 담당했다.
5 下島勲(1870~1947). 아쿠타가와 주치의.
6 菊池寬(1888~1948). 소설가. 아쿠타가와 류노스케와 제일고교 동기. 아쿠

게 보낼 것. 그렇지 않으면 불태워 버릴 것. 다른 유서(후미코

앞)는 무조건 펴 보고 가능한 한 유지에 따르도록 할 것.

⑤ 유품은, 오아나 군에게는 호헤이의 난[7]을, 요시토시[8]에게는

송화연(작은 벼루)을 각각 줄 것.

⑥ 이 유시는 즉시 불태울 것.

아쿠타가와의 유서는 몇 통이 존재하는데, 모두 전집에 수록되어 있다. 이 유서도 읽어본 적이 있다. 하지만 마쓰야제製 200자 원고지에 펜으로 쓴 이 유서가 주는 감동은 각별한 것이었다. '자신을 살리려는 노력 절대 엄금'과 같은 자살을 향한 강렬한 기백을 활자로 된 전집에서는 읽을 수 없기 때문이다.

일본근대문학관은 아쿠타가와 데루코 씨에게 226점의 자료를 기증받은 바 있다. 또한 세 점의 기탁도 있다. 이를 합하면 아쿠타가와 가로부터 기증받은 자료는 총 3,102점에 달한다.

아쿠타가와는 자신의 유서 소각을 명한 바 있다. 후미 부인도 일부는 불태워버리려고 한 것 같은데, 차마 그리할 수 없어 결국은 보존된 것이다. 후미 부인과 히로시[9]·루리코 부부, 루리코 부부의 딸 데루코 씨는 아쿠타가와 류노스케의 유지와는 반대로

타가와상을 제정했다.

7　에도 후기의 화가 사타케 호헤이(佐竹蓬平)가 그린 묵란도.

8　葛巻義敏(1909~1985). 아쿠타가와 류노스케의 조카.

9　芥川比呂志(1920~1981). 아쿠타가와 류노스케의 장남. 배우, 연출가.

이들 유서를 소중히 여겼다. 육필 유서는 아쿠타가와 가 유족 삼대의 통절하고 슬픈 마음을 보여준다. 육필 자료를 만난다는 것은 이러한 자료의 박력을 직접 느끼는 것이다. 여기에 육필 자료의 매력이 있다.

감동을 주는 전시 기획과 제작

필자가 아쿠타가와 류노스케의 유서에 감명을 받은 이유는 그의 저작, 특히 만년의 저작을 가까이했기 때문이다. 또한 그를 자살로 몰아넣은 당시의 사회 정세나 문학적 상황에 대해 알고 있다는 것도 마찬가지이다. 하지만 아쿠타가와의 유서는 그의 저작을 읽지 않은 사람들과 그가 자살한 시대에 대해 모르는 사람들에게도 깊은 감명을 줄 수 있다. 또한 이 유서에는 작가의 자살을 향한 강렬한 욕망이 담겨 있어 이를 보는 사람들에게 가슴이 먹먹해지는 감동을 줄 터이다. 동시에 작가가 왜 자살을 결심했는가 하는 의문도 가질 수 있다. 그 의문에서 아쿠타가와의 저작을 읽게 되고 나아가 이것이 문학에 눈을 뜨는 계기가 될 수 있는 것이다.

문학 전시는 이러한 기회를 제공하는 것이다. 하지만 현실적으로는 쉽지 않다. 지금은 대부분 아쿠타가와의 이름조차 모르기 때문에 그의 유서가 세인들의 관심을 끈다는 것은 기대할 수 없는 것이 상식이다. 그런데 일본근대문학관에서 아쿠타가와의 유서를 전시했을 때 예상 외로 관람객이 많았다. 하지만 이는 여러 신문에 보도되어 전시가 화제가 된 데 따른 예외적인 현상이다. 문학 자료를 화제로 만들기 위한 노력은 논외로 하지. 아무리 귀중한 자료라 해도 일반적인 문학 자료는 아쿠타가와 유서 전시와 같이 화제가 될 만한 성질을 갖고 있지는 않다. 따라서 특별할 것이 없는 자료에 관람객의 발을 멈추게 하려면 상당한 기획이 필요할 수밖에 없다.

문학 전시의 관람객은 미술관 등에 비해 훨씬 적다. 미술관은 작가나 작품 등 관련 지식이 없어도 전시된 회화 자체에서 그 나름의 감동을 맛볼 수 있다. 하지만 문학 전시는 전시된 작가나 작품에 대해 관련 지식이 없는 한 그렇지 못한 것이 사실이다. 예컨대 아쿠타가와의 유서도 작가를 모르거나 작품을 읽은 적이 없는 독자 혹은 관람객이라면, 유서 자체에서 감동을 느끼기는 매우 어렵다. 더욱이 관람객에게 관련 지식이 있다 해도 전시된 자료가 전집 등에서 맛볼 수 없는 느낌이나 재미를 주지 못하면 일부러 문학 전시를 찾을 의미는 사라진다.

관람객에게 감동과 재미를 줄 수 있는 전시를 기획하고 제작해야 한다. 그것이 아무리 어려운 일이라 해도 말이다.

2. 상설전은 필수인가

상설전 폐지 혹은 축소

문학관 중에는 나카하라 추야 기념관 같은 개별 작가를 기념하는 문학관도 있고, 홋카이도문학관과 같이 특정 지역을 대상으로 한 문학관도 있다. 또한 일본근대문학관과 같이 대상에 제한을 두지 않는 문학관도 있어, 문학관들 각각의 사업 목적이나 성격은 같지 않다. 그런데 전시에 대해서는 공통된 문제를 갖고 있는 것 같다.

문학관은 상설전과 더불어 기획전을 개최하는 것이 일반적이다. 이를 위해 상설전 외에 전시 공간의 일부를 기획전을 위해 준비해두고 있다. 기획전을 위한 공간은 상설전의 1/3이나 1/4 정도로 매우 작은 경우가 많다.

작가 기념관의 상설전은 해당 작가의 평생의 업적을 기리는 전시가 된다. 지역문학관은 지역과 연고가 있는 문인들의 업적을 소개하는 것이 상설전이다. 상설전은 대상으로 하는 작가를 개론, 즉 일반론 수준으로 전시하는 것이 보통인데, 대개 단조롭고 형식적이다. 이러한 상설전은 보통 5~10년이 지나도 전혀 전시 교체가 없다. 여기에는 대부분 두 가지 이유가 있다. 우선 예산 문제가 있다. 처음 상설전을 만들 때 많은 비용이 들게 마련인데, 몇 년밖에 지나지 않은 전시를 바꾸기 위해 또 예산을 쓸 수 없기 때문이다. 다른 하나는 전시 형태나 방법이 가진 문제이다. 보통 전시 업체가 만드는 상설전은 구조와 시설이 고정적이어서 대대적인 시설 개조가 없으면 전시 교체가 불가능하기 때문이다.

이런 이유들로 인해 한 번 본 관람객이 다시 상설전을 찾는다는 것은 기대하기 어렵다.

문학관 개관 후 몇 년 동안은 상설전을 보기 위해 관람객이 온다. 하지만 그 이후는 매우 한적한 상황이 되고 만다.

많은 문학관이 기획전을 문학관 활동의 중심으로 하고 있는 것 같다. 이는 상설전 관람객을 기대할 수 없기 때문이다. 이러한 현실은 상설전의 불필요함을 말하는 것일 수 있다. 물론 문학관이 대상으로 하는 작가에 대해 최소한의 지식을 제공하는 상설적 설명은 필요할 것이다. 하지만 이는 패널 1개로도 충분히 가능하다. 충실한 기획전을 위해 상설전의 폐지나 혹은 큰 폭의 축소를 검토할 필요가 있다.

3. 기획전

무엇을 전시하는가

방문할 때마다 매번 새로운 전시를 볼 수 있다면, 관람객은 항상 문학관에서 재미와 감동을 느낄 것이다. 하지만 이는 현실적으로 거의 불가능하다. 실현 가능한 대안 중 하나는 문학관과 이렇다 할 관련은 없지만 많은 사람들이 알고 좋아하는 작가나 작품을 주제로 전시를 기획하는 것이다. 예를 들어 극단적인 경우이긴 하지만 『빨강머리 앤』과 같이 많은 관람객이 찾아올 만한 작품을 주제로 기획전을 개최하는 것이다. 『빨강머리 앤』 기획전은 작품의 애독자를 비롯한 많은 관람객을 기대할 수 있는데, 이를 통해 문학관에 관심이 없는 사람들로 하여금 관심을 갖게 할 수도 있는 것이다. 그렇지만 이러한 전시가 그 문학관의 본연의 책무는 아닐 것이다.

상설전의 결점은 5~10년이 지나도 전시 교체가 없고 대개 단조롭고 형식적이어서 전시에서 다루는 작가를 이해하는 데 별 보탬이 안 된다는 데 있다. 하지만 작가에 대해 보다 깊이 이해할 수 있는 전시 기획이 불가능한 것은 아니다. 고치현 모토야마정 소재 오하라 도미에[10] 문학관[11]의 '엔이라는 여자' 전시가 대표적이다. 작가의 생애 소개는 간단히 처리하고 전시 공간의 대부분을 작가의 대표작인『엔이라는 여자』관련 내용으로 채우고 있는 것에 필자는 감탄하지 않을 수 없었다. 오하라 도미에의 문학을 전혀 몰랐던, 이제는 고인이 된 아내도 집에 돌아오자마자『엔이라는 여자』를 읽고 싶다는 감상을 털어놓았다. 이와 같이 한 작품을 집중적으로 소개하는 전시는 관람객에게 큰 자극을 줄 수 있다. 하지만『엔이라는 여자』가 작가의 출세작이긴 해도 이 외에도 명작이라고 할 수 있는 작품은 많다. 문학관에서 해마다 그녀의 명작 하나만을 골라 깊이 있는 내용으로 전시한다면, 관람객은 방문할 때마다 신선한 감동을 받는 동시에 작가와 작품에 대한 이해도 깊어질 것이다. 하지만 필자가 아는 한 전시 교체는 없는 것 같다. 아직도 개관했을 때의 '엔이라는 여자' 전시가 계속되고 있다고 한다. 이런 상황에서는 해마다 관람객이 줄어드는 것을 막을 수 없다.

전시하고자 하는 작가와 작품을 항상 새롭게 바라보고 깊이 있는 내용의 전시로 교체한다는 것은 하나의 기획에 지나지 않는다. 또한 언제 전시를 교체하는 것이 적절한지는 문학관이 처한 여러 조건에 따라 다를 것이다.

---

10   大原富枝(1912~2000). 소설가.
11   大原富枝文学館. 1991년 개관. 고치현 나가오카군 모토야마정 소재.

기획전 테마

상설전을 없애거나 공간을 대폭 줄이면 자연스럽게 기획전이 중심이 될 수밖에 없어 보다 다채로운 전시 기획이 필요해진다. 이를테면 대상 작가의 명작을 깊이 있게 다룬 전시를 연달아 그것도 상당 기간 개최할 수 있는 것이다.

사이토 모키치를 예로 들어 보자. 모든 작품을 다룰 수는 없지만 그의 작품 세계는 『적광』·『아라타마』 시대, 『원유』·『편력』 시대, 『등불』 시대, 『백도』·『효홍』·『한운』 시대, 『소원』·『흰산』 시대, 『달그림자』 시대 등으로 구분할 수 있다. 이를 바탕으로 각각의 시대의 모키치의 시 세계를 깊이 있게 다룬 전시가 가능할 것이다.

또한 단가 외에도 다음과 같은 기획이 가능할 것이다. '모키치의 수필'·'모키치와 만엽집' 혹은 '모키치와 가키노모토노히토마로'[12]·'모키치와 의업醫業'과 같은 주제도 있고, '모키치의 고향과 시 세계'·'모키치의 서구 체험'·'모키치와 나가이 후사코'[13] 또는 '모키치의 여성관계' 등도 생각해 볼 수 있을 것이다.

이들 전시 기획은 당연히 모키치의 시 세계가 위의 주제들과 어떠한 관계에 있나 하는 것을 관람객들에게 알려주는 것이어야

12　柿本人麻呂(생몰연도 미상). 아스카(飛鳥) 시대의 가인.
13　永井ふき子(1910~1993). 가인.

한다. 이 외에 '모키치와 하쿠슈'나 '모키치와 현대' 등 생각나는 대로 꼽아봐도 기획은 거의 끝없이 가능하다.

지금까지는 작가 기념관의 기획을 예로 들어 봤는데, 지역문학관의 경우는 이보다 더 다양할 것이다. 홋카이도문학관을 예를 들어 생각해보면 다음과 같다. 메이지 초기 이후 문인들의 홋카이도 여행 체험의 차이, 홋카이도 출신 작가들의 고향과의 관계 등을 들 수 있고 또한 그들 사이에서 본토 체험의 차이와 유사성, 삿포로·오타루·하코다테 기타 여러 도시의 문학 환경의 차이, 홋카이도의 동인지 활동 등도 가능하다. 개별 문인과 관련해서도 역시 다양한 기획을 해볼 수 있다. 홋카이도 출신 혹은 홋카이도 체험을 가진 작가를 주제로 2인전이나 3인전 등을 생각해 볼 수 있다. 여러 명의 작가를 비교하여 그들 사이의 공통점과 차이점 혹은 그 유래를 탐색해보는 전시는 관람객들에게 작가 본연의 모습에 다가가는 기회를 제공할 것이다.

기획전과 관광

나카하라 추야 기념관의 관람객은 추야에 관심을 가진 사람이 많을 것이다. 사이토 모키치 기념관의 관람객도 마찬가지일 것이다. 하지만 야마구치에 왔거나 유다온천에 묵는 김에 나카하라 추야 기념관에 왔다든지 가미노야마 온천에 묵었기 때문에 사이토 모키치 기념관을 찾았다는 사람도 있을 수 있다. 이들은 나카하라 추야와 사이토 모키치가 누군지 전혀 모를 수도 있다. 하지만 이러한 사람들이 전시에 감명을 받아 추야와 모키치에 대해 알게 되고 나아가 작가에 관심을 가져 두 번 세 번 또다시 기념관을 찾고 싶도록 하는 전시야말로 문학관이 기획해야 하는 전시이다.

필자는 문학관이 관광 목적의 시설이어서는 안 되며 또한 관광에 도움이 되지 않는다고 생각한다. 하지만 문학관이 관광에 도움이 된다는 것을 끝까지 부정하는 것은 아니다. 오히려 어떤 측면에서는 바람직하다고 본다.

이를 위해서는 작가에 대해 모르는 사람들에게도 재미와 감동을 줄 수 있는 전시 기획이 필요하다. 이를테면 '모키치와 현대'와 같은 주제는 쓰카모토 구니오,[14] 오카이 다카시,[15] 아쿠타가와 류노스케, 기타 모리오[16] 등 현대의 가인들 및 소설가들에게 사이토 모키치가 어떤 존재였는지 혹은 모키치의 현대적인 의미는 무엇인지 하는 것들을 설명할 수 있을 것이다. 이러한 전시는 설령 작가들에 대해 전혀 알지 못하는 관람객들에게 모키치는 물론 현대 단가에까지 관심을 갖게 할 수 있다.

---

14 塚本邦雄(1920~2005). 가인, 시인, 평론가, 소설가.
15 岡井隆(1928~). 가인, 시인, 문예평론가.
16 北杜夫(1927~2011). 소설가, 의사.

모키치와 이토 사치오[17]·시마키 아카히코[18]와의 관계 같은 것도 생각해 볼 수 있는 전시 기획이다. 하지만 이러한 기획은 『아라라기』[19] 관계자에게는 흥미로울 수 있어도 일반인에게는 그렇지 않을 수 있다. 이런 맥락에서 '모키치와 하쿠슈'와 같이 한때는 가까웠어도 본질적으로는 대립적 위치에 있는 작가들을 비교하는 전시 기획은 일본 현대 단가의 성립에 중대한 역할을 한 두 사람을 대비하여 보여준다는 점에서 작가들에 대해 잘 모르는 관람객들도 재미있게 전시를 볼 수 있는 기회를 제공할 것이다.

전시 기획은 문학의 세계를 뛰어넘는 보편성과 현대성을 동시에 갖추어야 하는 것이다.

기획전 사례 1

전시에서 다루는 작가나 작품에 대해 잘 모르는 사람들을 전시장으로 오게 하기는 현실적으로 무척 어렵다.

이를 가능케 하는 기획은 없을까. '사랑의 편지'전은 일본근대문학관이 바로 이러한 발상에서 기획·제작한 것이다. '사랑의

17 伊藤左千夫(1864~1913). 가인, 소설가.
18 島木赤彦(1876~1926). 가인.
19 『アララギ』. 1908년 창간된 일본의 단가 동인지.

편지'라 했지만 그 속에는 연인 사이는 물론 부부나 부모 자식 간에 주고받은 것도 있을 수 있다. 좀 더 넓게 보면 친구나 사제 간의 편지도 '사랑의 편지'로 볼 수 있는 것이 많다. 제자 앞으로 보낸 스승의 편지, 예컨대 나쓰메 소세키가 아쿠타가와 류노스케에게 보낸 편지는 나이 차가 많이 나는 어린 벗에 대한 애정과 격려로 가득하다. 또한 여성 문학자들 사이에 동성애를 애절하게 고백한 편지도 있다. '사랑'의 모습과 형태는 개성, 환경, 시대에 따라 실로 다양하고 흥미롭다는 것을 보여준다.

편지는 공개를 염두에 두고 쓴 것이 아니기 때문에 그 안에는 보통 사적인 것, 프라이버시에 관련된 내용이 담겨 있다. 이런 의미에서 문인들의 편지에는 그들의 사생활을 엿보는 재미, 즉 작가들의 적나라한 삶의 실상을 알게 되는 재미가 있다. 편지까지 전집에 묶인 작가는 매우 드물기 때문에, 작가들의 편지는 전시를 통해 처음 세상에 소개되는 경우가 많다. 연구자들도 전시된 편지를 통해 귀중한 자료의 존재를 파악하기도 한다. 문학관은 미공개 귀중 자료를 관보나 기요 같은 인쇄물의 형태로 될 수 있는 한 공개해야 한다. 하지만 이는 비용과 인력 면에서 제약이 많다. 따라서 전시를 통해 공개할 수 있다면 그 전시는 큰 의미를 갖게 된다.

일본근대문학관에서 전시한 30~40통의 '사랑의 편지' 모두에 관람객이 흥미를 가질 수는 없다. 하지만 단 몇 통만이라도 감동과 재미를 줄 수 있다면, 관람객들은 이것을 계기로 애정 표현의 다양함과 문인 상호간의 개성의 차이를 알게 될 것이다. 또한 작가들에 관심을 갖게 될 것이고 이러한 관심은 관람객들을 그들의 작품 읽기로 이끌 것이다. 이를 통해 궁극적으로는 문학 전반으로 관심의 시야를 향하게 한 수 있지 않을까. 필자가 바라는 것은 이것이다.

기획전 사례 2

'사랑의 편지'전은 전시에서 다루는 작가·작품을 모르거나 혹은 문학에 관심이 없는 사람들을 전시장으로 이끌기 위한 하나의 시도였다. 이 전시는 다행히 몇 곳의 지방 문학관에서 순회 전시되었는데, 이와 같이 누구나 흥미를 가질 수 있는 기획은 얼마든지 가능할 터이다.

지금까지 일본근대문학관에서는 '사랑의 편지'전 이외에도 '꽃들의 시가'전과 '파리 동경憧憬'전, '문학·청춘'전, '사랑 노래의 현재'전, '여성 문인의 편지'전 등을 기획·제작했다. 지방의 문학관들이 관심을 표명한 전시도 있고 그렇지 않은 것도 있다. 문학을 전시한다는 것은, 나쓰메 소세키 같은 개별 작가의 자료를 보여주는 것이라는 고정관념에 사로잡혀 있는 것이 아닐까.

지금까지 파리를 방문한 일본인은 방대한 수에 달할 것이다. 에도 말기에 파리를 방문한 막부 사절에서 다카무라 고타로, 요코미쓰 리이치, 쓰지 구니오[20] 등에 이르기까지, 많은 일본인이 프랑스 파리를 반복해서 체험했고 동시에 그들의 체험을 표현해 왔다. 이들은 노트르담 성당과 루브르미술관 같은 관광 명소를 보고 파리의 거리와 분위기를 접하며 이국 문화에 대한 놀라움과 기쁨, 설렘, 감동을 체험했을 것이다.

'파리 동경'전은 이러한 체험을 표현한 문학을 전시한 것이다. 관람객의 다수는 전시에 공감 혹은 반발하거나 자신이 미처 보지 못한 것들을 알게 되어 틀림없이 흥미진진하게 전시를 보았을 것이다. 이와 같은 기획은 파리에 한정되지 않고, 런던 같은 해외의 여러 도시에 대해서도 가능할 것이다. 일본의 어떤 특정 지역과 장소에 대해서도 마찬가지일 것이다.

'꽃들의 시가'전도 같은 경우이다. 꽃들을 노래한 시, 단가, 하이쿠 등을 보고 전시에 공감하거나 배움의 기회를 갖는 등 관람객들은 매우 흥미롭게 전시를 보았을 것이다. 전시 내용에 동의하지 않는 사람들도 물론 있었을 것이다.

이러한 기획은 한이 없다. 하지만 일반적인 개별 작가 관련 전시와는 전시 구성이나 방법 등 여러 가지가 다를 것이다. 어떻게

---

20 辻邦生(1925~1999). 소설가, 불문학자.

기획하고 어떻게 전시해야 관람객의 흥미를 끌 수 있을까. 결코
쉬운 일이 아니다.

기획전 사례 3

문학전시의 기획에는 특정 작가를 주 대상으로 하는 것 외에
적어도 두 종류가 더 있다. 첫 번째는 전시 내용에 대해 잘 모르
는 관람객도 재미있게 볼 수 있는 누구나 아는 것을 전시 주제로
하는 것이다. 두 번째는 주제가 현실에서 화제가 될 만하거나 혹
은 현대적이고 사회적 관심을 불러일으키는 문제성을 가진 기획
이다.

'사랑의 편지', '꽃들의 시가', '문학·청춘' 같은 기획은 전자
의 예이다. 문학은 인생의 모든 면을 다루기 때문에 이와 같은
주제는 거의 무한이라 해도 좋다. 예컨대 애완동물을 사랑하는
사람들은 무수히 많다고 할 수 있다. 나쓰메 소세키, 우치다 햣
켄[21] 등의 작품을 군이 이야기하지 않아도 개나 고양이를 제재로
한 감동적인 작품은 정말 많다. 『겐지모노가타리』와 같은 고전
에 묘사된 개나 고양이의 경우를 들 수도 있다.

'파리 동경'과 같이 지역과 장소를 대상으로 할 때도 전시기획

---

21 內田百閒(1889~1971). 소설가, 수필가.

은 거의 끝없이 가능하다. 이를테면 도쿄는 다음과 같이 생각해 볼 수 있다. 스미다가와 문학, 다마가와 문학, 아사쿠사와 문학 등 문학작품을 통해 배우고 새롭게 볼 수 있는 도시의 풍물은 무한하다. 널리 관동지방으로 시선을 돌려보자. 하기와라 사쿠타로의 마에바시·군마, 다카무라 고타로나 이토 사치오의 구십구리 해변,[22] 가네코 도타의 지치부[23] 등 작가들이 묘사한 풍성에서 관람객들은 자신들이 보지 못했거나 알지 못했던 정경을 발견하는 감동과 흥미를 맛볼 것이다.

또다시 예를 들어보자. 나라는 나라와 연고가 있는 문학관이 아니면 다루어서는 안 되는 것일까. 와쓰지 데쓰로,[24] 가메이 가쓰이치로, 호리 다쓰오[25] 같은 뛰어난 문인들은 항상 새로운 관점으로 나라를 독자에게 제시했다. 와쓰지 데쓰로의 『옛절 순례』를 전시에서 소개한다고 가정해보자. 이 작품 하나만 전시하기보다는 좀 더 너른 시각으로 가메이 가쓰이치로나 호리 다쓰오 등이 그린 나라의 풍토, 오래된 절, 불상까지 함께 보여주는 것이다. 이를 통해 와쓰지가 개척한 세계를 보다 넓고 풍요롭게 관람객에게 제시할 수 있을 것이다. 이러한 전시는 히메지문학관만이 아닌 홋카이도문학관이나 호리 다쓰오 문학기념관[26]에

---

22 지바현 보소반도 동쪽, 태평양에 면한 길이 66km의 해안.
23 사이타마현 가장 서쪽에 위치한 지역.
24 和辻哲郎(1889~1960). 철학자, 윤리학자, 문화사가, 일본사상사가.
25 堀辰雄(1904~1953). 소설가.
26 堀辰雄文学記念館. 1993년 개관. 나가노현 기타사쿠군 가루이자와정 소재.

서 개최해도 좋을 것이다. 필자가 바라는 바이기도 하지만, 이들 문학관이 전시를 위해 상호 협력 관계를 구축한다면 경비 절감은 물론 보다 알차고 충실한 순회 전시도 가능할 것이다.

기획전 사례 4

전시 주제가 현실에서 화제가 될 수 있거나 혹은 현대적이고 사회적 관심을 불러일으키는 문제성 있는 전시를 기획할 수도 있다.

일본근대문학관은 질과 양 측면에서 모두 훌륭한 프롤레타리아문학 자료를 소장하고 있다. 패전 후 한 시기가 지났다고 해서 프롤레타리아문학이 가진 문학사적 의의에 변함이 있는 것은 아니다. 하지만 문학사적 의의가 일반 독서인이나 지식인 혹은 대중들의 관심을 프롤레타리아문학으로 향하게 하는 것은 아니다. 오늘날 프롤레타리아문학을 다시 살펴보는 전시를 개최한다고 해도 관람객의 호응을 그다지 기대할 수 없는 것이 현실이다.

하지만 잘 알려져 있듯이 고바야시 다키지의 「게 가공선」이 지금 사람들의 주목을 끌고 있다. 이에 대해서는 다음과 같은 해석이 가능하다. 「게 가공선」이란 작품을 현대 사회의 경제적 격차에서 비롯된 이른바 워킹푸어[27] 문제와 관련지을 수 있기 때문이다. 이런 현실적 맥락에서, 프롤레타리아문학이라는 틀에서 벗어나 '워킹푸어'에 초점을 맞춰 「게 가공선」과 동일한 문제의식을 가진 작품을 주제로 전시를 개최한다면, 이것이야말로 현대적 관심을 불러 모으는 문제적 전시가 될 것이다.

필자가 구상하는 '워킹푸어'에 초점을 맞춘 전시는 다음과 같은 작가와 작품이 그 대상이다. 히구치 이치요[28]의 「탁한 강」, 나가쓰카 다키시[29]의 『땅』, 이시카와 다쿠보쿠의 단가, 「게 가공선」, 사타 이네코의 「캐라멜공장에서」, 하야시 후미코[30]의 『방랑기』, 미즈카미 쓰토무[31]의 「기러기의 절」 등 폭넓게 일본 근현대문학을 조감한 '워킹푸어'문학 전반이다. 즉 격차사회를 그린 문학 전반인 것이다. 워킹푸어나 격차사회 문제는 오늘날 경제 상황에서 점점 노골화하고 있다. 이는 메이지 이후 일본의 근대화가 초래한 왜곡에 다름 아니다. 단순히 프롤레타리아문학 운동이라는 좁은 흐름을 넘어 보다 깊은 곳에서 일본 근현대문학 속에 보이지 않게 잠재해 있는 문제이기도 하다. 이런 의미에서 '워킹푸어'문학을 조망할 수 있는 전시는 관람객에게 재미는 물론 감동까지 줄 수 있는 것이다. 일본근대문학관에서 이 문제를 주제로 전시를 개최한 적이 있는데, 이때 전시명을 필자가 지었

---

27 근로빈곤층.
28 樋口一葉(1872~1896). 소설가.
29 長塚節(1879~1915). 가인, 소설가.
30 林芙美子(1903~1951). 소설가.
31 水上勉(1919~2004). 소설가.

다. '문학은 격차사회를 어떻게 그렸는가'가 전시 제목인데, 지금 생각해보면 제목이 너무 길었던 것 같다.

문학전시의 기획안은 현실적이고 현대적인 감동을 불러일으킬 수 있는 것이어야 한다.

4. 전시 기획

기획의 주체

문학전의 전시기획은 누가 할까. 문학관의 직원일까. 혹은 이사, 임원, 기타 연구자일까. 이들 가운데 누가 주체가 되어야 하는가 하는 질문을 받는다면, 필자는 직원, 특히 학예사가 있는 문학관이라면 학예사가 그 주인공이라고 대답할 것이다. 한두 명의 직원이 풍부한 아이디어를 낸다는 것은 현실적으로 어렵다. 또한 학예사들도 매력 있는 문학전시를 기획하고 입안하는 일에 반드시 자신들의 전문지식을 활용할 수 있다거나 다양한 발상의 소유자인 것은 아니다. 훌륭한 기획은 여러 직원들의 브레인스토밍과 같은 토의를 통해 가능할 것이다.

그럼에도 불구하고 일차적으로 직원이 해야 한다고 말하는 이유는 문학관 직원이 소장 자료에 가장 해박하기 때문이다. 이에 비해 문학관 이사나 일반 연구자는 해당 문학관 소장 자료에 대해 충분한 지식을 갖고 있지 않다. 문학전시의 개최는 소장 자료에 따라 여러 제약이 있을 수밖에 없다. 전시는 문학관이 가지고 있는 자료를 공개·소개하여 널리 알리는 것이 그 본래의 목적이다. 따라서 문학관 직원들의 소장 자료에 관한 해박한 지식이 전제가 되어야 하는 것이다.

　필자는 일본근대문학관 직원들이 가진 소장 자료나 일본 근현대문학에 관한 지식과 소양에 깜짝 놀라고 감탄한 적이 한두 번이 아니다. 상당수의 직원들이 특정 잡지의 소장 여부를 자료카드 등을 보지 않고도 상세히 알고 있는 것이다. 필자가 경험한 실제 사례이다. 시라키 시즈[32]라는 처음 들어보는 여성작가에 대해 알아볼 일이 있어 직원들에게 물어봤는데, 놀랍게도 주위에 있던 직원 모두가 그녀의 이름과 업적에 대해 알고 있었다.

　문학관에 따라 직원들의 지식과 소양은 천차만별일 것이다. 하지만 문학을 전시하는 일은, 문학관 직원들이 가진 소장 자료에 대한 지식에 바탕하여 입안되어야 하는 것이다.

32　素木しづ(1895~1918). 소설가.

감수자의 역할과 범위

전시를 기획할 때 전시의 구성, 해설, 캡션 작성 등 모든 것을 문학관 직원이 해야 하는 것은 아니다. 어떤 저명한 공립박물관에서는 문학전시를 개최할 때 학예사라는 직원이 모든 일을 하고 외부 연구자의 도움은 받지 않는다고 한다. 문학관 학예사도 모든 문학자에 대해 잘 아는 것은 아니다. 더구나 그 박물관은 이른바 역사 분야 박물관이어서 문학을 전공한 학예사가 없었는데도 외부 연구자의 자문이나 감수 등을 필요로 하지 않았다고 한다. 이는 예산 문제일 수도 있고 혹은 해당 박물관 내에서 소속 학예사에게 전공 분야 이외의 전시까지 요구했기 때문일 수도 있다. 하지만 이는 박물관에서 보면 과잉 기대이고 학예사 입장에서는 매우 오만한 일이 아닐 수 없다.

일본근대문학관을 예로 들어 말해보려고 한다. 앞서 밝힌 바 있듯이 문학관 직원들의 일본 근현대문학 관련 지식과 소양은 놀랍기 그지없다. 이는 분명한 사실이다. 하지만 직원들이 모든 분야와 작가에 대해 전문 연구자 수준의 견식이나 지식을 갖고 있는 것은 아니다. 이런 의미에서 직원들과 관련 주제에 관한 전문 연구자 사이의 상호 협력이 이루어졌을 때 비로소 매력 넘치고 학문적으로도 깊이 있는 전시가 가능한 것이다.

연구자의 감수는 직원들이 수행한 기획 및 구성, 해설 등의 오류 수정에 그칠 때도 있고, 모든 세부 사항까지 책임지고 검토하는 경우도 있어 일률적으로 그 수준과 내용을 말할 수 없다. 필자는 단순한 직원들의 오류 수정이 아닌 직원들과 합심하여 전시 기획 및 구축에 보다 폭넓게 관여하는 것이 감수자의 역할이라고 생각한다. 연구자들도 이러한 작업에서 배우는 것이 적지 않을 것이다.

전시 기획과 감수자의 개성

근현대문학을 조망하는 것과 같은 큰 주제의 전시는 당연히 몇몇 꼭지로 나누어야 하고 또한 각 부문별 감수자를 두어야 한다. 문학을 둘러싼 시대 혹은 분야 및 장르, 사조에 따라 각각의 전문 연구자가 있기 때문이다. 하지만 일상적 기획전시는 감수자가 한 명으로 족하다.

전시 주제 및 내용에 따라 복수의 감수자를 둔다면 이렇다 할 흠이 없는 무난한 전시가 될 것이다. 하지만 결점이 없다는 것이 곧 매력적인 전시인지는 의문의 여지가 크다. 이 같은 맥락에서, 감수를 한 사람에게 맡긴다면 어떻게 될까. 일본 근현대문학 연구자이자 나카하라 추야 기념관 관장인 나카하라 유타카[33] 씨는

33 中原豊(1958~). 일본 근대문학 연구자.

나카하라 추야에 관한 저명한 연구자이다. 그가 나카하라 추야 기념관의 전시를 담당한다는 것은 어찌보면 관장으로서의 당연한 직책이라고 할 수 있다. 또한 기념관 설립 주체인 야마구치시는 이를 기대하고 있을 수 있다.

하지만 필자는 아키야마 슌[34] 씨나 혹은 기타가와 도루[35] 씨가 감수한 나카하라전을 보고 싶다. 요시모토 다카아키[36] 씨가 감수한 전시에서는 어떤 나카하라 상像을 볼 수 있을까. 단 요시모토 씨의 건강이 허락한다면 말이다. 나카하라 추야 전반을 주제로 해도 좋고 특정 주제, 즉 추야와 여성 혹은 추야 작품의 가요성 같은 것도 좋다. 주제와 상관없이, 감수자들이 작가를 보는 눈이 모두 다른 것처럼 그들이 감수한 전시도 틀림없이 모두 개성적일 것이다. 각각의 감수자들은 기념관이 소장한 작가의 유고 가운데 어떤 작품을 선택할 것이며 또한 그것들을 어떻게 배열하고 해설할 것인가. 이러한 선택과 배열, 해설에는 나카하라 유타카 씨와는 차별적인 아키야마 씨, 기타가와 씨, 요시모토 씨만의 작가관觀이 나타나 있을 것이다. 이는 작가에 대한 이들의 생각을 엿보는 일인 동시에 감수자들 각각이 느낀 작가의 매력을 관람객들과 공유하는 일에 다름 아니다.

이는 모두 개성적인 비평가들의 감수를 통해 감수자 각각이

---

34 秋山駿(1930~2013). 문예평론가.
35 北川透(1935~). 시인, 문예평론가.
36 吉本隆明(1924~2012). 시인, 평론가.

가진 작가의 상을 전시라는 방법으로 제시하는 것이다. 이런 과정을 통해 나카하라 추야가 가진 다양한 면모가 자연스럽게 관람객에게 전달될 터인데, 이는 문학관을 찾을 때마다 신선한 감동을 느끼게 되는 중요한 계기이기도 하다.

전시 취지의 작성

독특한 개성을 가진 비평가들이 각자의 시선으로 바라본 나카하라 추야 상을 전시라는 방법으로 보여준다는 것은 매우 자극적인 시도가 아닐 수 없다. 단 전시를 통한 보여주기는 책과는 다르다는 것을 명심해야 한다.

연구자들 사이에서는 전문용어를 사용해도 하등 문제가 없다. 하지만 전시에서 보여주어야 하는 추야는 대부분 작가에 대해 잘 모르는 관람객을 대상으로 한다. 물론 관람객 중에는 나카하라 추야를 잘 아는 독자도 있을 수 있다.

모든 전시의 개최 취지는 보통 전시장 입구에 자리하는데, 여기에는 감수자의 의도가 명확하게 담겨 있어야 한다. 일반 저서는 서문에 집필 취지가 있다. 분량은 대개 400자 원고지 10~20매 정도이다. 이에 비해 전시의 개최 취지는 최대 600자 이내가 적당하다. 많지 않은 글자 수이지만 관람객이 이를 읽을 것인지 여부는 장담할 수 없다. 관람객은 전시를 보기 위해 오는 것이지 전시 취지를 읽기 위해 오는 것은 아니기 때문이다.

따라서 전시 기획 의도 및 취지는 다음과 같은 점을 명심하며 작성해야 한다. 먼저 전시 내용이나 전시에서 다루는 작품·작가에 대해 잘 모르는 사람들이 주 대상이라는 점이다. 또한 선문가를 위한 글이 아닌 만큼 어렵지 않게 써야 하지만 동시에 감수자의 명성에 걸맞는 알찬 내용이어야 한다는 것도 중요하다. 뻔한 내용일 수 있지만 작성자는 결코 소홀히 해서는 안 된다.

앞서 나카하라 추야를 예로 들었는데, 이 점은 다른 작가에 대해서도 마찬가지이다. 지역 문학을 대상으로 할 때도, 특정 주제의 기획전시는 역시 전문 연구자의 감수를 받는 것이 좋다. 전문 연구자는 연구자를 대상으로 말하는 것에는 익숙하지만 일반인들을 상대로 할 때는 그렇지 못하다. 하지만 능력 있는 전문가는 자신의 전문지식을 쉽게 풀어 말할 수 있다. 전시 기획 의도나 취지를 600자로 정리할 수 없다면 전시 자체에 대해 완벽하게 파악하지 못한 것이다. 이는 전문가로서 낙제라고 할 수 있다.

5. 전시 구성

전시 구성 및 해제

아주 작은 규모가 아니라면, 문학전시는 보통 4~5부로 구성
된다. 이는 시대를 기준으로 나눌 수도 있고 작가의 활동분야로
구성할 수도 있어 항상 일률적인 것은 아니다. 하기와라 사쿠타
로를 예로 들어보면, 우선 『달에게 짖다』, 『푸른 고양이』, 『얼음
섬』 등 주요 시집별로 묶을 수 있다. 또한 시를 중심에 놓으면서
도 평론, 고전감상, 음악, 마술[37] 등 취미를 통해 작가의 생활이
나 활동을 여러 각도에서 살펴보는 것도 가능하다. 이는 작품과
작가의 전기를 같이 보여주는 것이다. 이처럼 어느 정도 규모가
있는 전시는 다양한 방법으로 내용을 구성할 수 있는데, 이는 관
람객의 전시 관람을 위한 필수 요건이 된다.

패전 후 여성 작가들을 주제로 전시를 구성해보자. 떠오르는
대로 이름만 들어봐도 하야시 후미코, 노가미 야에코, 엔치 후미
코,[38] 사타 이네코, 쓰보이 사카에,[39] 오오하라 도미에, 쓰무라 세

---

[37] 하기와라 사쿠타로는 20대 무렵부터 마술에 흥미를 가져 만년에는 아마추어
　　마술사 클럽에 입회하는 등 임종 직전까지 마술을 즐겼다고 한다.
[38] 円地文子(1905~1986). 소설가.
[39] 壺井栄(1899~1967). 소설가, 시인.

쓰코,[40] 다케니시 히로코,[41] 오오바 미나코,[42] 이와하시 구니에,[43] 쓰시마 유우코[44] 등이 있다. 전쟁 이전에도 뛰어난 여성 작가는 물론 있었지만 전후에는 다양한 꽃이 동시에 만개한 것처럼 좋은 작가들이 많이 등장해 훌륭한 업적을 남겼다. 이러한 여성 작가들을 전시로 보여준다면, 어떻게 구성·배열해야 관람객들이 작가들의 작품 활동에 감동을 받고 작품을 즐길 수 있을까. 아무 원칙 없이 단순하게 작품만을 늘어놓을 수는 없다. 이 전시는 넷 혹은 다섯 꼭지로 구분·구성하여 진행해야 한다. 여기에서 나이는 지나치게 안이한 분류 방법이다. 전시의 적절한 구성은 많은 연구와 궁리에서 출발한다. 이를 바탕으로 작가들이 남긴 훌륭한 업적을 인상적으로 정리·해설하는 것이 전시 주최자인 감수자 및 직원들의 견식이자 역량인 것이다.

전시의 각 구분에는 이를 설명하는 해제가 필요하다. 관람객들은 전시 해제를 통해 작가들의 뛰어난 활동상과 다채로운 재능의 찬란한 업적을 눈과 가슴에 깊이 새길 수 있다. 이러한 해제는 최대 400자 정도가 적절하다. 너무 길어도 곤란한 것이다. 관람객은 전시 자료를 보러 오는 것이지 해제를 보기 위해 오는 것이 아니기 때문이다. 해제가 너무 길면 당연히 읽지 않는다.

40 津村節子(1928~). 소설가.
41 竹西寛子(1929~). 소설가.
42 大庭みな子(1930~2007). 소설가.
43 岩橋邦枝(1934~2014). 소설가.
44 津島佑子(1947~2016). 소설가.

그저 읽어주기를 바라는 수밖에 없다.

바람직한 캡션

문학 자료나 유품 등은 몇 꼭지로 구분된 분류 속에서 전시물로 존재한다. 전시된 모든 자료에는 각각의 캡션이 필요하다. 캡션이 없으면 이들 자료가 어떤 것인지 관람객은 이해할 수 없다. 캡션은 20~30자 정도로 간결하고 요령 있게 써야 한다. 이것도 너무 길면 관람객으로부터 외면받기 때문이다. 대개의 감수자는 캡션을 교열은 해도 직접 쓰지는 않는다. 캡션 제작은 자료에 해박한 직원들의 평소 실력이 발휘되는 작업이다.

전시 자료는 육필원고, 초판본, 작품 발표 첫 지면 등이 중심이 된다. 육필원고만이 관람객에게 감명을 주는 것은 아니다. 고모로의 시마자키 도손 기념관에서 「지쿠마강 여정의 노래」첫 발표 지면이 1900년 4월 발간된 타블로이드판 『명성』(게재시의 타이틀은 「여정旅情」)임을 알 수 있었다. 동시에 작품이 지면의 일부를 작게 차지하고 있음을 보고 감회가 새로웠다. 그때까지 필자는 도손과 『명성』의 관계를 알지 못했다. 또한 작품이 지면에 배치된 모습을 통해 1900년 당시에는 이 시가 작가의 대표작이 되리라고는 누구도 예상할 수 없었겠구나 하는 생각도 했다.

「지쿠마강 여정의 노래」는 그 시비가 시마자키 도손 기념관이 있는 고모로의 회고원[45] 일각에 있다. 일본 최초의 시비라 일컬어진다. 시비 본문은 도손의 글씨인데, 글씨 원본은 일본근대문학관이 소장하고 있다. 시비의 설계와 주조는 각각 아리시마 이쿠마,[46] 다카무라 도요치카[47]가 했다. 시비는 보통 글씨를 화강암 같은 것에 새기기 마련인데, 이 시비는 주조한 것이기 때문에 글씨가 양각되어 있다. 매우 진귀하고 예술적으로도 뛰어나다. 「지쿠마강 여정의 노래」가 시비와 함께 주는 이 같은 감동을 20~30자의 캡션에 담아 관람객에게 전달할 수 있을까. 거의 불가능에 가까울 것이다. 많든 적든 캡션 제작에는 마찬가지의 어려움이 있다. 그럼에도 불구하고 캡션은 전시물에 대한 가장 간단한 안내이기 때문에 그 제작에 노력을 아끼지 말아야 한다.

작가의 애용품

작가의 육필원고, 초판본, 작품의 첫 발표 지면 등이 주 전시 자료임엔 틀림없지만 전시는 이들 자료만으로 이루어지는 것이

---

45 懷古園. 니기노현 고모로시에 있는 고모로성터를 말하는데, 시영공원으로 정비되어 일반 시민에 공개되고 있다.
46 有島生馬(1882~1974). 화가.
47 高村豊周(1890~1972). 금속공예가.

아니다. 전시에서 다루는 작가의 생활이나 성품을 알 수 있는 자료를 전시하는 것도 반드시 유념해야 할 점이다.

도쿄 조후시의 무샤노코지 사네아쓰 기념관에는 사네아쓰가 애용했던 벼루가 전시되어 있다. 전시를 교체하면서 이 벼루를 치웠는데, 이에 대해 관람객의 민원이 끊이지 않았다고 한다. 이 벼루는 가운데에 구멍이 뚫려 있다. 사네아쓰가 매일매일 정성껏 먹을 갈아 구멍이 생겼다고 한다. 작가의 인품을 느낄 수 있는 애장품이라 하지 않을 수 없다.

사네아쓰는 호박 그림을 오랫동안 꾸준히 그린 것 같다. 일본 미술전람회나 그밖에 다른 화단에 속한 전문 화가 수준은 물론 아니다. 필자는 사네아쓰가 오랫동안 같은 주제를 동일하게 그렸다고 생각했다. 하지만 만년에 그린 그림을 보면서 젊었을 때에 비해 속된 느낌이 사라지고 고아함 면에서 완전히 다른 매력이 있음을 어느 순간 알게 되었다. 동시에 벼루 가운데 뚫린 구멍도 작가가 가진 이러한 진지함에서 비롯되었음을 비로소 납득할 수 있었다.

이와 같은 전시물을 보며 관람객은 재미와 감동을 느끼는 것이다. 문학관은 무샤노코지 사네아쓰라는 작가의 인격을 관람객들에게 전달하고 동시에 작가를 기리는 의미도 갖는 것이다.

전시 자료가 육필원고, 작품의 첫 발표 지면, 초판본 등 문자·활자 텍스트 자료로만 이루어져 있다면, 이를 보는 관람객들도 매우 힘들다. 이는 필자 자신의 경험에 비춰봐도 그렇다. 텍스트 자료와 함께 시각적으로 눈을 쉬게 하는 전시물도 반드시 있어야 한다. 무샤노코지 사네아쓰 기념관의 벼루가 이 같은 예에 해당한다. 글과 그림이 있는 족자도 관람객의 눈을 편안하게 한다. 눈의 편안함만이 아니다. 나쓰메 소세키의 편지에서는 언제나 소세키의 인간미를 느낄 수 있고, 모리 오가이의 서축에서는 작가의 기품을 엿볼 수 있다. 기노시타 모쿠타로[48]의 『백화보』[49]는 도저히 아마추어의 솜씨라고는 할 수 없다. 또한 마사오카 시키 이래 후쿠나가 다케히코[50]에 이르기까지, 문인들의 서화나 화찬[51] 중에는 여기라고 하기에는 결코 그 수준이 낮지 않은 것이 적지 않다. 야나기타 구니오는 다야마 가타이의 친한 친구였는데, 그는 가타이의 소설은 전혀 평가하지 않았지만 그의 글씨는 인정했다.

---

48 木下杢太郎(1885~1945) 의사, 시인, 극작가, 번역가.
49 百花譜. 기노시타 모쿠타로가 만년에 그린 식물도감. 총 872매.
50 福永武彦(1918~1979). 소설가, 시인, 불문학자.
51 画賛. 주로 그림 윗부분 여백에 써넣은 시문을 말한다. 한시가 많지만, 와카나 하이쿠 등을 써넣은 경우도 있다.

작가의 사진

문학전시에서 꼭 전시하고 싶은 자료 가운데 하나가 사진이다. 작가 개인의 사진도 매우 흥미롭다. 필자의 옛 친구 이이다 모모[52]는 1976년 구제 일고[53]의 교내 신문『향릉시보向陵時報』에「나카하라 추야의 사진상」이라는 전후 최초의 나카하라 추야론을 발표한 바 있다. 사진도 또한 작가의 인격을 말해주는 것이다.

작가 개인의 사진뿐만 아니라 동인지 동인들의 합동사진도 작가들의 교우 범위를 알 수 있는 단서가 된다. 그 교우 관계의 나중의 전개 또한 감개를 더욱 새롭게 하는 경우가 많다.

작가가 애용하던 유품 등도 문자나 활자만을 보던 관람객의 눈을 쉬게 해줄 뿐만 아니라 작가가 이러한 경향의 취미나 심미안의 소유자였다는 것을 알려준다. 이도 역시 문학전시에서 느낄 수 있는 재미인 것이다. 작가가 아끼던 고미술품은 물론 요본[54]이나 레코드판 같은 것에서도 생각지 못한 작가의 감성을 느낄 수 있다. 또한 소박한 책상이나 식기 같은 오래 사용하여 낡

52　いいだもも(1926~2011). 작가, 평론가.
53　舊制 一高. 1886년 일본 근대국가 건설을 위한 인재 육성을 목표로 '제일중학교'로서 창설된 학교. 1894년 '제일고등학교'로 교명이 변경되었으며, 3년을 수학 연한으로 했다. 당시 '제국대학'의 '예과' 역할을 담당했는데, 1950년 폐지되었다. 졸업생의 대다수가 도쿄제국대학으로 진학했고, 일본 전 분야의 지도적 엘리트를 배출했다. 일고만의 특색으로는, 1890년 시작된 학생 자치 제도와 전 학생의 기숙사 생활 등을 들 수 있다.
54　謠本. 일본의 옛 음악책.

은 일상용품에서 나들이용 멋진 옷에 이르기까지, 모든 것이 작가의 일상을 엿볼 수 있는 실마리가 된다.

다만 이러한 자료들이 각각 독립적으로 존재하는 것이 아닌 서로 관련되어 있을 때 관람객들이 느끼는 감동과 재미는 한층 더 깊어지게 마련이다. 이러한 의미에서 생각나는 것이 노가미 야에코와 나쓰메 소세키이다. 나쓰메 소세키는 노가미에게 편지를 보내면서 그 속에 그녀의 처녀작 「명암」의 작품평을 담았다. 이때 소세키는 작은 교토인형을 편지와 함께 보냈다. 노가미 야에코의 처녀작 「명암」과 소세키의 편지, 교토인형은 각각 따로 떨어져 있어도 매우 흥미로운 것들이다. 하지만 이들 세 자료가 함께 있다면 자료들 사이에 얽힌 의미와 더불어 이들로부터 느낄 수 있는 감동과 재미는 보다 각별할 것이다.

다시 캡션 문제로 돌아가 보자. 이들 세 자료를 각각 20~30자로 정리하는 것은 그리 어렵지 않다. 하지만 이들 자료에서 알 수 있는 정서와 비평의 문제, 작가들의 인간관계 등을 설명하는 것은 간단한 일이 아니다. 어쩌면 이런 문제는 관람객의 감수성에 맡겨야 하는 것인지도 모른다. 그렇지만 전시를 기획하고 주최하는 문학관이 관람객에게 관람 포인트를 확실히 전달하기 위한 캡션에 고심하는 것은 마땅한 일이다.

단 이러한 자료가 전시의 중심일 수는 없다. 어디까지나 전체 전시의 한 부분에 불과한 부속 전시물인 것이다.

6. 전시 방법

자료의 퇴색과 손상

만년필로 쓴 육필원고가 직사광선에 노출될 경우 자료의 퇴색과 손상은 필연적이다. 하지만 처음 문학관 건물을 설계할 때 건축가들이 오직 건물이나 건축가로서의 독창성만을 최우선시하는 경우가 드물지 않다. 정작 중요한 문학 자료의 전시 위치나 방법 등은 전혀 고려 대상이 아닌 것이다.

그로 인해 전시실이 직사광선에 무방비로 노출되도록 설계되어 차단 커튼으로라도 이를 해결하고자 했으나 건축가가 동의하지 않아 무산된 문학관도 있다. 건축가 입장에서는 차단 커튼으로 유리 벽면을 막으면 그가 의도한 건축물의 아름다움이 훼손되는 것이다.

저명한 건축가일수록 이러한 경향이 강하다. 건축가에게 중요한 것은 그의 건축물이 그가 의도한 대로 사용되는 것이지 자료 손상 여부는 관심 사항이 아니기 때문이다. 도쿄 마루노우치에 단게 겐조[55] 씨가 설계한 도쿄도청사가 있었다. 개인적으로는 수평면의 들보가 돋보여 일본식 정취가 물씬 풍기는 점이 좋았는

---

[55] 丹下健三(1913~2005). 건축가, 도시계획가.

데, 실제 사용하기에는 무척 불편한 건물이었다고 한다. 사용자들의 고충에 대해 단게 씨는 이용 방법을 변경해야 한다고 했을 뿐, 실제 쓰는 사람들의 불편함에는 귀를 기울이지 않았다고 한다. 이는 분명한 건축가의 오만이다. 하지만 발주자가 건축가에게 설계의 기본적인 조건을 명확하게 지시하지 않았던 과실에도 그 원인이 있을 것이다.

문학관에 대해서도 사정은 마찬가지이다. 전시 공간이 직사광선에 노출되지 않도록 처음부터 명확한 지시가 있었어야 했다.

육필자료의 퇴색 및 손상 방지를 위해 UV컷 조명 기구를 사용해야 한다는 것은 문학관 관계자들에게 상식이다. 하지만 이러한 것을 사용한다고 해서 퇴색과 손상을 완전히 방지할 수는 없다. 어떤 조명 기구를 쓰더라도 자료가 빛에 노출되는 한 퇴색과 손상이 일어날 수밖에 없다. 또한 온도와 습도의 변화도 자료의 손상을 초래한다. 자료 보존과 관리에 만전을 기할 수 있는 조명 기구는 물론 공조 설비도 없는 것이다.

자료를 전시하는 한 퇴색과 손상은 피할 수 없으며, 이를 최소화할 수 있는 방지책 마련이 문학관이 할 수 있는 최대라고 할 수 있다.

복제, 복사물 이용

붓으로 화지에 쓴 편지는 만년필로 원고지에 적은 육필원고에 비해 비교적 퇴색이나 손상에 강하다. 같은 자료라 해도 어떤 필기도구를 사용했고 어떤 용지에 썼는지에 따라 퇴색과 손상의 속도는 모두 다르다. 그렇긴 하지만 화지에 붓으로 쓴 편지류 등을 짧게 전시하는 것을 논외로 하며, 필자는 육필자료 그 자체는 전시해서는 안 된다고 생각한다.

전시 자료, 특히 긴 시간 계속 전시되는 자료는 원본이 아닌 복제품이어야 한다. 복제도 사실 비용 문제가 걸려 있어 간단한 문제가 아니다. 실물과 같은 정교함, 즉 복제 수준은 컬러 인쇄의 화소 수에 비례하는데, 이는 곧 비용의 증가를 의미한다. 따라서 복제품 대체도 한정된 예산 상황에서는 쉽지 않다.

하지만 최근 컬러복사기의 성능이 놀라울 정도로 향상되고 있다. 전시 케이스의 유리를 통해 보면, 원 자료와 컬러 복사 자료를 구분하기가 거의 불가능하다. 물론 관람객들 중에는 이를 구별할 수 있는 사람이 적지 않을 수 있다. 또한 반드시 육필자료 원본이 아니면 전시 만족도가 떨어지는 관람객도 있을 것이다. 그러한 관람객 수와 자료의 퇴색·손상을 견주어 어느 쪽을 더 중시해야 할까. 자료 원본을 검토해야 하는 특수한 연구자 등을 예외로 하면, 일반 전시에서는 컬러 복사 자료의 사용을 적극적으로 고려해야 한다.

일정 기간만 전시할 경우 화지에 붓으로 쓴 편지류는 원본을 전시해도 괜찮을 것이다. 하지만 이들 편지류는 행서나 초서로 쓰인 것이 많다. 예를 들어 히구치 이치요의 편지는 읽기도 어렵고 내용 이해도 어렵다. 행서나 초서로 쓰여진 메이지 · 디이쇼 시기의 편지는 반드시 그 내용을 활자화하여 보여주어야 한다. 이렇게 해도 이해가 어려운 것은 현대어로 번역하여 함께 전시해야 한다. 더욱이 읽어야 하는 글자 수가 많으면 관람객은 읽기도 전에 지쳐버릴 수 있다. 그 균형을 맞춘다는 것은 대단히 어려운 일이다.

7. 전시 설비 및 시설

박물관용 전시 진열장

전시를 가능하게 하는 전시 설비나 시설의 문제를 이야기해보자. 전시 설비와 시설은 우선 최대한 융통성이 좋아야 한다. 칸막이나 가벽 등을 자유롭게 이동하거나 변경할 수 없는 고정식이라면 전시 교체는 거의 불가능하다.

　문학관들 중에는 전시실 하나를 7~8개의 공간으로 구획하여 전시를 진행하는 곳이 적지 않다. 이때 사용되는 진열장은 대개 전시실 벽면에 고정된 것이다. 자료가 놓이는 밑면이 전시실 바닥에서 70~80cm 높이에 있고 안쪽 벽면에는 세로 100~120cm의 선반이 달려 있다. 이를 앞에서 유리로 막은 것인데, 관람객들은 유리를 통해 전시물을 보게 된다. 진열장 너비는 1미터에서 수 미터까지 다양하다. 사실 이러한 진열장은 박물관에서 사용되는 것으로 토기 등의 발굴품이나 중국의 청자나 백자 같은 고미술품 전시에 적합하다.

　문학관에도 너비가 약 1m쯤 되는 이러한 진열장이 1개 정도 있다면 좋을 것이다. 작가가 애용하던 미술품, 차 도구, 의복 등은 진열장의 내부 세로 폭이 1~1.2m 정도는 되어야 안전한 디스플레이가 가능하다. 이와 같이 자료를 안전하게 배치하면서 동시에 관람객의 눈도 즐겁게 할 수 있는 전시 케이스가 필요하다. 하지만 이러한 진열장은 문학 자료 전시에 적당하지 않다.

　전국적 지명도가 있는 유명 문학관의 대규모 기획전에서 이러한 전시 케이스를 본 적이 있다. 해설은 케이스 안쪽 벽면에 있었는데 거의 읽을 수가 없었다. 전시 케이스 유리 바깥에서 보아야 하는 관람객들에게 케이스의 깊이(세로 폭)와 빽빽하게 들어찬 글자 크기는 해설문을 읽는 데 너무 불편했기 때문이다. 또한 선반에는 원고나 잡지 등의 자료를 세 열로 배치했는데, 베개 같은 것으로 안쪽을 괴어 비스듬히 세워놨음에도 불구하고 가장 안쪽의 세 번째 열은 물론 두 번째 열조차 거의 읽을 수가 없었다. 제대로 된 전시라면 깊이(세로 폭)는 60cm, 자료 배치는 두 열, 해설 패널은 유리 바깥에 설치하여 관람객들이 바로 읽을 수 있도록 해야 했다. 높은 평가를 받는 문학관의 전시였던 만큼 더 이해할 수 없었다.

이와 같은 박물관용 전시 선반의 사용은 최소화해야 한다.

전후좌우에서 볼 수 있는 진열장

진열장 안 벽면에 선반을 설치하는 것과 진열장을 유리로 막는 것은 문학전시에 적합하지 않다. 선반을 설치하더라도 세로 폭이 40~60cm 정도여야 벽면의 글자를 읽을 수 있다. 자료 배치도 한 열만 하는 것이 좋다.

오히려 관람객들이 최대한 직접 보고 읽을 수 있고, 사진이나 해설 게시가 가능한 벽면을 이용하는 것이 낫지 않을까. 하기와라 사쿠타로, 나카하라 추야 기념관 같은 곳은 패널로 작가의 시를 보여줄 수도 있다. 나카하라 추야를 예로 들면, 「겨울의 조몬쿄」 육필원고를 확대 복사하여 패널로 보여주면 좋을 것이다. 지금은 문학관 직원이 컴퓨터를 사용하여 직접 패널에 예쁘게 인쇄하는 것도 별다른 기술이 필요 없다. 육필자료 원본을 컬러 복사하여 전시하는 것과 같다. 반드시 육필자료, 작품의 첫 발표지면, 초판본 등이 있어야 전시 주제와 내용을 옳게 보여줄 수 있다는 생각은 잘못된 선입견이다. 이런 의미에서 벽면이나 패널은 원본 자료를 확대 또는 컬러복사한 것을 전시·게시하는데 이용해야 할 것이다.

전시 설비의 핵심은 자료를 전후좌우에서 동시에 볼 수 있는 진열장과 그 활용에 있다. 여기에서 말하는 진열장은 밑면을 제외한 모든 면이 나무틀과 유리로 되어 있는 것이다. 즉 유리 케이스 위에서 진열대에 놓인 전시물을 들여다보는 형식의 진열장이다. 전시실 바닥에서 전시물이 놓이는 진열대까지의 높이가 70~80cm, 진열대 바닥에서 케이스 윗면까지인 실제 전시 공간의 높이가 30~50cm, 가로·세로 사방 80~100cm 정도 되는 것이다.

진열장 안쪽 벽면 선반 위의 전시물은 받침대를 괴어 비스듬히 보여주어도 보기가 쉽지 않다. 이에 반해 케이스 위에서 전시물을 들여다보는 진열장은 상당히 작은 글자도 선명하게 볼 수 있다.

전시케이스의 모양과 크기

전시케이스의 모양과 크기에는 정해진 것이 없다. 문학관 사정에 맞게 자유롭게 만들면 된다. 예를 들어 위에서 들여다보는 케이스가 아니라면, 높이 180cm, 가로 180cm, 세로 45cm 정도 되는 것을 생각해 볼 수 있다. 이 정도면, 몇 개의 선반을 내부에 설치하여 상당한 수의 전시물 배치가 가능할 것이다.

진열장 안쪽 벽면에 설치한 선반의 세로 폭에는 길이 제한이 있다. 이미 지적했듯이, 세로 폭이 너무 깊으면 안쪽의 전시물은 읽을 수 없기 때문이다. 위에서 들여다보는 방식의 케이스를 생각해보자. 자료가 놓이는 바닥 가운데를 삼각형 모양으로 높여 비스듬히 경사진 양면에 전시물을 놓으면 그것을 양쪽 위에서 들여다볼 수 있다. 따라서 전시 구축 시 편리하게 이용할 수 있다.

진열장 너비에 대해서는 자유롭게 생각할 수 있는데, 충분할수록 좋다. 이는 캡션이 전시물에 아주 가깝게 배치되어야 하기 때문이다. 이 점은 필자가 직접 경험한 적이 있는데, 전시물과 캡션이 꽤 떨어져 있어 전시물이 어떠한 것인지 알지 못해 곤란했던 기억이 있다. 이는 전시케이스와 전시 선반이 적절한 크기로 설계·제작되지 않았던 데서 비롯된 문제였다.

이와 같이 전시케이스는 크기와 형태가 고정적이지 않고 이동도 자유로워야 함은 물론, 전시 교체에 따라 다양하게 전시물을 배치할 수 있는 융통성이 있어야 한다. 10년이 하루 같은 전시가 아닌 이상, 매년 새로운 전시를 선보여 관람객에게 신선한 감동을 주기 위해서는, 전시 선반과 전시케이스가 어떠해야 하는지 면밀한 검토가 필요하다.

또한 전시가 혹시 장애인들이 보기에 불편함은 없는지 하는 점도 놓쳐선 안 된다. 우리들은 비장애인의 눈으로 전시를 본다. 하지만 전시는 비장애인만을 위해 개최하는 것은 아니다. 장애인들도 충분히 즐길 수 있어야 한다. 이를 위해 전시 선반이나 전시케이스의 적절한 모양과 크기에 대해 심사숙고해야 하는 것도 전시를 주최하는 문학관의 책무인 것이다.

마무리

문학전시에 많은 관람객을 기대하는 것은 옳지 않다. 문학전시 혹은 문학관은 관광에 하등 도움이 되지 않는다. 문학의 보급과 진흥이 목적이라면 얼마든지 다른 방법이 있고 시설도 있다. 전시는 소장 자료를 관람객에게 공개·소개하여 관람객으로 하여금 전시에 흥미를 느끼게 하는 것이다. 이를 통해 궁극적으로는 문학에 친숙해지는 기회를 제공하는 것이다. 하지만 그렇다고 해서 전시에 많은 관람객이 없어도 된다는 것은 아니다. 오히려 최대한 많은 관람객이 왔으면 한다. 그동안 이를 위해 문학관 관계자들이 과연 어느 정도의 노력과 궁리를 했는지 생각해보자. 반성해야 할 점이 많을 것이다.

전시 기획에 얼마나 정성을 들이고 힘을 쏟았는가. 전시 구성을 위해 얼마나 고민을 거듭했는가. 개최 취지를 쓸 때 전시의 핵심을 쉽게 알 수 있도록 문장을 충분히 다듬었는가. 각 전시 부문별 해제는 관람객의 마음에 호소할 수 있도록 정열적이고 명확하게 썼는가. 캡션은 얼마나 심사숙고하여 썼는가. 이들을 모두 아우른 효과에 대해 토론해 보았는가. 기존의 전시 신만이나 케이스를 별 생각 없이 사용하여 정말 해야 할 전시를 등한시해 온 것은 아닌가.

또한 전시를 널리 알리기 위한 노력에 소홀했던 점은 없는가. 관람객의 많고 적음은 그동안 신문, 텔레비전 등 언론 보도에 크게 의존했던 것이 사실이다. 하지만 이는 너무나 소극적 자세가 아닌가. 우리 자신이 보다 능동적으로 움직여야 한다. 지금은 정보 발신 수단도 이전에 없었던 새롭고 다양한 선택지가 있지 않은가.

전시 도록도 상업적 간행물로 출판·보급하기 위한 노력이 필요한 것은 아닌가.

요컨대 한정된 시간이나 자금을 구실로 충분한 노력과 궁리를 게을리해온 것은 아닌가. 문학전시를 위해 우리가 개척해야 할 분야는 끝없이 넓은 것이다.

부록

문학관 관련 법률 문제

1. 서론

문학관 활동과 관련된 법률 문제는 우선 저작권법 관련 문제와 기타 명예훼손, 프라이버시권, 문학관에 특정한 소장 자료를 맡기는 '기탁' 등 민법상의 문제가 있다. 이러한 법률 문제를 아래에서 개괄한다.

2. 저작권

저작권에는 협의의 저작권과 광의의 저작권이 있다. 협의의 저작권이란 재산권으로서의 저작권을 의미한다. 광의의 저작권은 이 협의의 저작권과 인격권으로서의 저작자 인격권 두 가지 권리를 말한다.

(1) 저작권 및 저작권 사용료

저작권은 영어로 'copyright'라고 하는 것처럼 카피의 권리를 저작자가 지배하는 것에 그 본질이 있다. 저작권법에서는 카피하는 것을 '복제'한다고 한다. 잡지에 게재하거나 단행본으로 간행하기 위해 저작물을 인쇄하는 것은 저작권법상 '복제'에 해당한다. 인터넷상에 저작물을 게재하는 것도 역시 '복제'에 해당한다. 저작권법은 제21조에서 '저작자는 그 저작물을 복제하는 권리를 전유專有한다'라고 규정하고 있다. 이 규정의 의미는 저작자의 허락이 없으면 저작물을 인쇄하여 잡지에 게재하거나 서적 등으로 간행하는 것이 불가능하다는 것이다.

복제를 할 때에는 잡지사, 출판사, 신문사 등 복제를 하고자 하는 쪽에서 저작자 혹은 저작권자에게 대가를 지불하는 것이 일반적이다. 이 대가를 저작권 사용료라고 한다.

저작권 사용료, 즉 대가 금액은, 서적의 경우 정가의 10%에 발행 부수를 곱한 액수가 표준이다. 하지만 아동서 등은 10% 이하도 많아 반드시 10%여야 한다는 것은 아니다. 이 비율은 저작자와 출판사 사이의 힘의 관계에 의해 결정된다. 따라서 10%를 초과하는 경우도 있고, 판매 부수를 예상할 수 없는 서적에 대해서는 저작자가 저작권 사용료를 면제할 수도 있다. 극단적인 경우는 자비 출판이다. 이때는 저작자가 출판에 필요한 비용과 출판사의 이익을 모두 부담한다. 이러한 의미에서 정가의 10%에 발행 부수를 곱한 금액을 저작권 사용료로 하는 것은 어디까지나 표준적 사례인 것이다.

잡지, 신문 등에 저작물을 게재할 때의 저작권 사용료는 서적과 달리 표준이 없다. 저작권자 혹은 잡지사, 신문사 등에 따라 다르며, 일률적이지 않다.

저작권 사용료를 전에는 흔히 인세라고 했다. 전쟁 전[1] 간행된 서적에서 볼 수 있는 것처럼 과거에는 저작자가 그 저작물을 서적으로 간행할 때, 서적의 판권면에 첨부되는 검인지에 저작자가 도장을 찍고, 그 도장이 찍힌 검인지가 판권면에 첨부된 서적만이 시장에 유통되었다. 저작자는 검인지가 날인된 부수에 따라 대가를 받았다. 이것이 일반적인 관행이었다. 즉 검인지가 판권면에 첨부되지 않은 서적은 저작자가 그 간행을 허락하지 않은 위법한 출판물이라는 의미인데, 검인지 유무에 따라 합법-비합법 출판물이 판정되는 형태로 서적은 시장에 유통되었던 것이다. 전쟁 후 검인은 출판사 입장에서 매우 번잡한 일이 되었다. 따라서 출판사는 검인 없이 저작자에게 보고한 발행 부수에 따라 저작권 사용료를 지불하는 것이 일반적이 되었다(그로 인해 일부 악덕 출판사들 중에는 저작자에게 보고하는 발행 부수보다 더 많은 부수를 발행하는 경우가 있기도 했다). 지금도 인세라는 말이 사용되고 있지만, 오늘날의 상황에서는 현실과

---

1   일반적으로 메이지유신이 있었던 해인 1868년부터 일본이 패전하는 1945년 까지의 기간을 말한다.

동떨어진 말이 되었다. 저작권 사용료라고 하는 것이 좋다.

또한 서적의 저작권 사용료는 정가에 일정 비율을 곱한 뒤 다시 발행 부수를 곱하는 것이 보통이다. 이는 그 서적의 판매 상황에 상관없이 발행 부수에 따른 저작권 사용료를 지불하는 것이 되기 때문에 출판사가 그 리스크를 부담하는 것이다. 하지만 출판사 측은 이러한 방식에 불만이 많다. 영미 여러 나라에서와 같이 출판사 측은 판매 부수에 따른 저작권 사용료 지불을 원한다. 일본서적출판협회, 이른바 서협이 권장하는 출판계약서에도 이렇게 되어 있다. 이는 일견 합리적으로 보인다. 하지만 위탁판매제도를 채용하고 있을 뿐만아니라 선금 관습이 없는 일본에서는 문제가 많다. 현실적으로 합리적이라고는 할 수 없다. 위탁판매제도 하에서는, 서점에는 이른바 유통 재고가 항상 존재하게 된다. 또한 정확한 판매 부수는 반품 처리가 완료된 후가 아니면 알 수 없다. 따라서 출판사에 재고가 없어 증쇄를 해도 저자에게 증쇄에 따른 저작권 사용료는 지불되지 않는다. 증쇄를 했다고 해서 언제, 어느 정도의 반품이 있는지 알 수 없기 때문이다.

기타 재산권으로서의 저작권에는 상연권 및 연주권(저작권법 22조), 상영권(22조의 2), 공중公衆송신권 등(23조), 구술권(24조), 전시권(25조), 반포권(26조), 양도권(26조의 2), 대여권(26조의 3), 번역권, 번안권 등(27조)이 저작권법에 규정되어 있다. 소설을 극화하거나 영화화, 텔레비전 영화화를 할 때에는 원작자인 소설가의 허락을 얻어야 한다. 이는 저작권법 27조에 근거한 것이다. 또한 26조 3의 대여권은 원래는 대여 레코드 규제를 위한 규정이었는데, 현재는 모든 저작물에 대해 저작자는 대여권을 가진다고 개정되었다. 하지만 서적과 잡지에 대해서는 저작권법 부칙에 의해 당분간 적용하지 않는다고 되어 있다. 이들은 문학관 활동과 거의 관계가 없다.

(2) 저작자 인격권

① 공표권(18조)

② 성명표시권(19조)

③ 동일성보지권(同一性保持權)(20조)

단 "저작자의 명예 또는 성망聲望을 훼손하는 방법으로 그 저작물을 이용하는 행위는 그 저작자 인격권을 침해하는 행위로 간주한다"라고 저작권법 113조 6항이 규정하고 있기 때문에, 정확하게는 "명예 또는 성망을 훼손하는 방법으로 그 저작물을 이용하는 행위"로부터 보호되는 권리까지 더해 총 네 가지 권리를 의미한다고 볼 수 있다.

① 공표권에 대해서는, "저작자는 그 저작물로 아직 공표되지 않은 것(그 동의를 얻지 않고 공표된 저작물을 포함한다. 이하 이 조에서는 같음)

을 공중에 제공 혹은 제시하는 권리를 갖는다. 해당 저작물을 원 저작물로 하는 2차적 저작물에 대해서도 동일한 것으로 본다"라고 18조 1항은 규정하고 있다. 이른바 저작물을 공표할지 여부는 저작자의 전권이다. 예를 들어, 일기, 편지, 창작메모, 불만족스러운 작품 등 저작자가 공표하고 싶지 않은 저작물이 있을 수 있다. 따라서 미공표 저작물은 저작자의 허락이 없으면 공표할 수 없다고 되어 있는 것이다. '전시'는, 저작권법 4조에 "전시의 방법으로 공중에 제시"된 경우 "공표된 것으로 한다"라고 규정되어 있기 때문에, 문학관은 육필자료, 특히 일기, 편지, 노트 등에 대하여 이들을 전시할 때에는 공표된 것인지 여부를 확인할 필요가 있다. 미공표 자료는 저작자로부터 허락을 받지 않으면 안 된다(저작자 사후 미공표 저작물의 전시에 대해서는 후술한다).

다만 공표권은 1971년 1월 1일 자로 시행된 현행 저작권법에서 비로소 규정된 권리이다. 그 이전 구 저작권법에서는 공표권에 관한 규정은 존재하지 않았다. 따라서 1970년 12월 31일 이전에 창작된 저작물에 대해서는 공표권의 보호가 없음에 주의할 필요가 있다.

② 성명표시권에 대해서는, "저작자는 그 저작물의 원 작품에, 또는 그 저작물을 공중에 제공 혹은 제시할 때 그 실명이나 변명變名을 저작자명으로 표시하거나 표시하지 않을 권리를 갖는다. 그 저작물을 원 저작물로 하는 2차적 저작물을 공중에 제공 또는

제시할 때의 원 저작물의 저작자명 표시에 대해서도 동일하다"라고 19조 1항에 규정되어 있다. 19조 2항은 "저작물을 이용하는 자는 그 저작자의 특별한 의사 표시가 없는 한, 그 저작물에 저작자가 표시하고 있는 대로 저작자명을 표시할 수 있다"라고 규정하고 있다. 따라서 문학관은 전시를 진행할 때 저작자가 공표시 사용한 실명, 변명, 익명을 존중해야 한다(또한 저작권법 19조 3항은 저작자명의 표시를 생략할 수 있는 경우를 설명하고 있는데, 이는 많은 악곡을 백그라운드 음악으로 연속하여 연주하는 것과 같은 특수한 경우를 의미한다. 문학관의 일반적 활동에서는 이와 같은 일은 없을 것이다).

③ 동일성보지권에 대해서는, 20조 1항에서 "저작자는 그 저작물 및 그 제호의 동일성을 보지하는 권리를 가지며, 그 뜻에 반하여 이들의 변경, 절제切除, 기타 변개를 할 수 없다"라고 규정하고 있다. 이는 저작자 승낙 없이 임의로 저작물을 변개해서는 안 된다는 것이기 때문에 도록 등에 게재할 때에는 충분한 주의가 필요하다.

④ 저작권법 113조 6항(명예 또는 성망을 훼손하는 방법으로 그 저작물을 이용하는 것으로부터 보호되는 권리)

예를 들어 여성의 나체화나 사진을 성풍속점의 간판 등에 이용하는 것을 명예·성망을 훼손하는 방법으로 저작물을 이용하는 행위에 해당한다고 한다. 이러한 행위는, 저작권이 살아 있을 경우 당연히 복제권의 침해에도 해당하는 것이기 때문에 특별히 이 조항을 들 것도 없이 저작자가 그러한 이용을 금지할 수 있다. 다만 이 규정은 저작권 존속기간 만료 후, 저작물이 명예·성망을 훼손하는 방법으로 이용되었을 때 유족이 불만을 제기하는 근거가 되기 때문에 이 점에 대해서는 나중에 이야기하기로 한다.

3. 편지의 저작권과 소유권

편지의 소유권은 수신자(받은 사람)에게 귀속되지만 저작권은 발신자(필자)가 갖는다. 그로 인해 편지의 소유자(또는 편지의 소유자로부터 양도받은 문학관)라고 하더라도 발신자(필자)의 승낙이 없는 한 복제 등의 저작권, 저작자 인격권을 침해하는 행위를 하는 것은 허락되지 않는다.

4. 저작권 보호 기간

(1) 재산권으로서의 저작권 보호 기간

① 재산권으로서의 저작권 보호 기간은, 영화 등을 별도로 하면, 문예적 저작물의 경우 저작자의 생존 기간과 사후 50년간이다. 구 저작권법에서는 사후 30년간이었다. 저작권법은 1962년부터 개정 작업이 시작되었는데, 그 사이에 보호 기간이 네 번 연장된 바

있다. 따라서 현행법 시행 전까지는 사후 37년이었다가 현행법이 시행되는 1971년을 기점으로 한꺼번에 사후 50년으로 연장된 것이다. 단 일단 저작권의 존속 기간이 만료되면 존속 기간이 법률 개정에 의해 늘어나도 소급하여 연장되지 않는다. 바꿔 말하면, 존속 기간이 만료된 저작권이 되살아나는 것은 아니라는 원칙 때문에 잠정적으로 그와 같은 조치를 취했던 것이다. 현 상황에서는 사후 50년만을 고려하면 된다.

② 사진 저작권의 존속 기간에 대해서는 특별 규정이 있음을 주의해야 한다.

사진의 경우 구 저작권법에서는 보호 기간이 공표 후 10년(미공표일 경우는 창작 후 10년)이었다. 이 기간도 개정 작업 도중 13년으로 연장되었는데, 문예적 저작물 등에 비해 보호 기간이 현저히 짧았다. 이는 주로 사진의 저작물로서의 독창성이, 예를 들어 문예적 저작물에 비해 낮다는 사고방식이 지배적이었기 때문이다. 하지만 현행법이 시행될 때, 제55조에 의해 공표 후 50년(미공표일 경우는 창작 후 50년)으로 연장되었다. 마찬가지로 이 경우도, 1971년 현행법 시행 전 존속 기간이 만료된 사진 저작물은 소급하여 보호되지 않는다. 따라서 1956년 12월 31일 이전 공표된 사진 저작물에 대한 저작권은 소멸되었다.

또한 1996년 저작권법 개정에 의해 제55조가 삭제되어 문예적 저작물과 같이 생존 기간과 사후 50년간 저작권이 보호된다.

따라서 현행법으로 보호되는 사진 저작물은 1957년 1월 1일 이후 공표된 것에 한정됨을 주의할 필요가 있다.

③ 보호 기간 계산방법

재산권으로서의 저작권 보호 기간은 저작자 사후 50년이다. 이는 저작자가 사망한 날로부터 50년을 경과한 날에 만료된다는 것이 아니다. 이 50년이라는 기간은 사망한 날이 속한 해의 다음 해부터 기산起算한다. 예를 들어, 1958년 1월 2일에 저작자가 사망했다고 하면 사망 후 만 50년은 2008년 1월 2일이다. 하지만 50년이라는 존속 기간은 1959년부터 기산하기 때문에 존속 기간이 만료되는 것은 2008년 12월 31일이다. 2008년 12월 31일까지 저작권이 존속되는 것이다(저작권법 57조).

(2) 저작자 인격권 보호 기간

저작자 인격권은 인격권, 즉 인격을 보호하기 위한 권리이기 때문에 사망하면 보호되어야 할 인격이 없어진다. 따라서 원칙적으로는 저작자가 사망하면 저작자 인격권도 소멸되어야 하는 것으로 볼 수도 있다. 하지만 저작권법은 저작자 사망 후 저작자 인격권 보호에 대해 특별히 규정하고 있다.

① 그 첫 번째는 다음과 같은 저작권법 60조의 규정이다.

"저작물을 공중에 제공 또는 제시하는 자는 그 저작물의 저작자가 사망한 후에도 저작자가 생존해 있을 때와 같이 그 저작자 인격권이 침해되는 행위를 해서는 안 된다. 단 그 행위의 성질 및 정도, 사회적 사정의 변동, 기타 등에 의해 그 행위가 해당 저작자의 뜻을 훼손하지 않는다고 인정되는 경우는 이 조항에 해당되지 않는다."

두 번째는 아래와 같은 저작권법 116조의 규정이다.

"저작자 (…중략…) 사후에 있어 그 유족(사망한 저작자(…중략…)의 배우자, 자녀, 부모, 손자, 조부모 또는 형제자매를 말한다. 이하 이 조에서는 같다)은 (…중략…) 제60조 (…중략…)에 위반하는 행위를 하는 자 또는 할 우려가 있는 자에 대해 제112조의 청구를, 고의 또는 과실에 의해 저작자 인격권 (…중략…)을 침해하는 행위 또는 제60조 (…중략…)에 위반하는 행위를 한 자에 대해 앞 조의 청구를 할 수 있다."

② 이들 조문에서 이해할 수 있는 것처럼, 원칙적으로는 저작자 인격권에 대해서는 저작자의 사후라 해도, (저작권의 존속 기간과는 관계없이) 손자의 대까지(하기와라 사쿠타로를 예로 들면 하기와라 사쿠미[2] 씨 대까지) 저작자 인격권을 주장할 수 있다.

③ 문학관에서 특히 이것이 문제가 될 때는 미공개 편지를 전시할 때이다. 이미 언급한 대로, 편지의 소유권은 받은 이에게 귀속되지만 저작권은 보낸 사람이 갖는다. 어떤 작가의 유족으로부터

---

2 萩原朔美(1946~). 영상작가, 연출가, 수필가.

원고 등의 자료를 기증받았을 때, 그 속에는 그 작가 앞으로 온 편지(이른바 받은 편지)가 있는 경우가 많다. 이들 편지가 미공개 된 것일 경우, 저작권법 60조 규정의 주서柱書('단서' 조항 앞의 본 문)에 규정된 원칙에 따르면, 문학관이 이 같은 미공개 편지를 전 시를 통해 공개하는 것은 저작자 인격권을 침해하는 것으로 허 용되지 않는다. 하지만 같은 조의 단서에 "그 행위의 성질 및 정 도, 사회적 사정의 변동, 기타 등에 의해 그 행위가 해당 저작자 의 뜻을 훼손하지 않는다고 인정되는 경우는 이 조항에 해당되 지 않는다"라는 규정이 있어 이에 해당하는 것은 아닌지 고려할 여지가 있다. "저작자의 뜻을 훼손하지 않는다"에서 "뜻을 훼손" 한다는 것은 동일성보지권에 관한 저작권법 20조, "저작자는, 그 저작물 및 그 제호의 동일성을 보지하는 권리를 가지며, 그 뜻에 반해 이들의 변경, 절제, 기타의 변개를 받지 않는다"는 규 정의 "뜻에 반해"와는 다른 의미로 해석해야 한다. '뜻에 반하다' 여부는 저작자의 주관적 의사로 결정된다. '뜻을 해'하는지는 객 관적으로 판단되어야 하지만 이러한 기준은 명확하지 않다. 하 지만 문학관에서 이 같은 편지를 전시하는 것은 공공의 목적이 있고, 전시되는 편지는 문학적 가치를 갖고 있기 마련이다. 따라 서 객관적으로 보았을 때 '뜻을 해'한다고 볼 수는 없다. 문학관 이 미공개 편지를 전시하는 것은 단서 조항에 의해 적법하다는 것이 필자의 해석이다. 하지만 이 문제에 대해서는 재판 판례와

학계에서도 논의가 없었기 때문에 반대론이 있을 수 있다. 이런 이유에서 미공개 편지 전시는 가능하다면 유족의 동의를 얻어 두는 편이 좋다. 이 문제는 미공개 편지뿐만 아니라 일기와 같은 미공개 저작물 모두에 해당된다. 편지는 이 문제를 간과하기 쉬운 전형적인 사례에 지나지 않는다.

④ 저작권 존속 기간 만료 후 제3자가 저작자의 명예와 성망을 훼손하는 방법으로 저작물을 이용하는 것은 앞서 말한 대로 손자 대까지 저작자 인격권 침해로 간주되어 금지와 손해배상 청구 대상이 된다. 필자가 직접 경험한 사례를 말해 보자. 나카하라 추야 저작권 존속 기간 만료 후, 야마구치시의 모 호텔에서 레스토랑 런천매트에 작가의 시를 인쇄하여 사용하고 싶다는 신청이 있었다. 런천매트는 식사할 때 더러워지게 마련이고 식사 후 폐기되는 것이어서 런천매트에 작가의 작품이 인쇄되어 사용되는 것은 추야의 명예와 성망을 훼손하는 것이라고 판단하였다. 이때는 호텔 측이 뜻을 접어 별 문제가 없었지만 이와 유사한 문제는 얼마든지 일어날 수 있다. 예를 들어 나카하라 추야 시의 한 구절을 인쇄한 '추야 맥주'의 판매는 작가의 명예와 성망을 훼손하는 사례라고 할 수 있을까. 나카하라 추야뿐만 아니라 하기와라 사쿠타로, 미야자와 겐지 등의 작품에 대해서도 마찬가지이다. 작가들의 저작권 존속 기간이 만료되면 그들의 저작물을 어떤 형태로 이용해도 좋다는, 도저히 묵과할 수 없는 상업적 이용

이 횡행할 수도 있다. 필자는 "명예와 성망을 훼손하는 방법"으로 저작물을 이용하는 것은 저작자의 손자 대까지는 저작자 인격권 침해로 간주된다는 것을 지적하고 싶다. 동시에 이러한 상업적 남용은 막는 것이 마땅하다. 문학관도 이러한 각오를 가져야 할 것이다.

5. 명예훼손

① 명예훼손에 관련된 법률상 조항은 다음과 같다.

- 민법 709조

"고의 또는 과실에 의해 타인의 권리 또는 법률상 보호받는 이익을 침해한 자는 이로 인해 발생한 손해를 배상하는 책임을 진다."

- 민법 710조

"타인의 신체, 자유, 혹은 명예를 침해한 경우 또는 타인의 재산권을 침해한 경우 등 내용을 불문하고 앞 조의 규정에 의해 손해배상 책임을 지는 자는 재산 이외의 손해에 대해서도 그 배상을 하지 않으면 안 된다."

- 민법 723조

"타인의 명예를 훼손한 자에 내해서는, 법원은 피해자의 청구에 의해 손해배상을 대신하여 또는 손해배상과 함께 명예 회복에 대한 적당한 처분을 명할 수 있다."

- 형법 230조 1항

"공공연하게 사실을 적시하여 다른 사람의 명예를 훼손한 자는, 그 사실 유무에 관계없이 3년 이하의 징역 혹은 금고 또는 50만엔 이하의 벌금에 처한다."

- 형법 230조 2

ⓐ "앞 조 제1항의 행위가 공공의 이해에 관한 사실에 관계되고 또한 그 목적이 오지 공익을 도모하는 것에 있다고 인정될 경우, 사실 여부를 판단하여 사실임이 증명되었을 때는 이를 벌하지 않는다.

ⓑ 앞 항의 규정의 적용에 대해서는, 공소가 제기됨에 이르지 않은 사람의 범죄 행위에 관한 사실은 공공의 이익에 관한 사실로 간주한다.

ⓒ 앞 조 제1항의 행위가 공무원 또는 공개 선거에 의한 공무원 후보자에 관한 사실에 관계될 경우, 사실 여부를 판단하여 진실임이 증명되었을 때는 이를 벌하지 않는다."

- 헌법 21조 1항

"집회, 결사 및 언론, 출판, 기타 일체의 표현의 자유를 보장한다."

② 명예란 무엇인가?

보통, 명예에는 주관적인 측면과 객관적인 측면이 있다고 볼 수 있다.

주관적인 측면이란 개인적·감정적인 것으로 명예감정이라 일컬어진다. 이는 법률상 보호되지 않는다. 객관적 측면이란 사회적 평가이다. 사회적 평가는 반드시 그 사람의 진가와 일치하지 않는다. 중요한 것은 일반적으로 사회가 어떻게 평가하는지에 대한 것이다. 정말 그것이 올바른 평가인지 여부는 문제시되지 않는다.

법률적으로 보호되는 것은 명예의 객관적 측면이다. 바꿔 말하면 사회적으로 그 사람이 획득한 평가이다.

③ 명예훼손과 진실증명의 관계

최고재판소는 1969년 6월 25일 자 '와카야마시사' 사건[3] 판결로 불리는 재판에서 다음과 같이 판시했다.

"형법 230조 2의 규정은 인격권으로서의 개인의 명예 보호와 헌법 21조에 의한 정당한 언론보장과의 조화를 추구한 것이라 해야 한다. 이들 양자 간의 조화와 균형을 고려한다고 하면, 설령 형법 230조의 2 제1항에서 말하는 사실이 진실임을 증명할 수 없다 해도 행위자가 그 사실을 진실이라고 오신誤信하고, 그

---

3   和歌山時事事件.『석간 와카야마 시사』라는 신문이,『특종신문』기자가 공무원을 협박했다는 기사를 실어『특종신문』측으로부터 명예훼손으로 고소돼 사건. 우리나라의 대법원에 해당하는 일본의 최고재판소는, 1969년 6월 해당 기사가 오보라 해도 그 오보가 상당한 근거와 이유가 있을 경우 명예훼손이 성립되지 않는다고 판결했다. 표현의 자유 문제와 더불어 명예훼손에 대한 획기적 판결로 유명하다.

오신에 대한 확실한 자료, 근거에 비추어 상당한 이유가 있을 때는 범죄의 고의가 없으며, 명예훼손의 죄는 성립하지 않는다고 해석하는 것이 상당하다."

④ 위의 최고재판소 판결은 형법 230조 2의 해석시, 표현의 자유와의 관계를 배려하여 문제가 적시된 사실이 진실이라고 증명되지 않은 경우라도 행위자가 그 사실을 진실이라고 오신하고 그 오신한 것에 대해 확실한 자료·근거에 비추어 상당한 이유가 있을 때는 명예훼손의 죄는 성립하지 않는다고 한 획기적인 판결이다. 이 논리는 민법의 명예훼손에도 적용할 수 있다고 본다. 바꿔 말하면, 적시된 사실이 잘못되었다고 해도 잘못에 대해 상당한 이유가 있으면 명예훼손은 성립하지 않는 것이다.

⑤ 명예훼손이 성립하는 사례

어떤 사람에 대해 그 사람의 범죄력, 어떤 종류의 병력病歷, 출신 등을 공공연하게 명시하는 것은 명예훼손에 해당하는 전형적인 사례이다. 명예란 사회적 평가이다. 일반적으로 사회가 어떻게 평가하고 있는지에 대한 것인데, 정말 그것이 올바른 평가인지 여부가 문제시되지 않음은 앞에서 언급한 대로이다. 가령 명시한 사실이 진실이라 해도 그러한 범죄력, 어떤 종류의 병력, 출신 등은 그 사람의 사회적 평가를 훼손하는 경우가 많다. 진실

이기 때문이라는 것은 명예훼손의 성립에 방해물이 되는 것은
아니다.

⑥ 명예훼손의 불성립은 앞의 최고재판소 판결에 따라 다음 세 요
  건을 충족할 필요가 있다.
  ㉠ 공공의 이해에 대한 사실에 관계된 것.
  ㉡ 오직 공익을 추구할 목적인 것.
  ㉢ 적시한 사실이 진실인지 혹은 진실이라고 오신한 것에 대해
    확실한 자료·근거에 비추어 상당한 이유가 있는 것.

⑦ 문학관 관련 명예훼손 문제
  ㉠ 작가 본인에 대해서는 어떠한가.
    미공개 편지나 일기 전시를 통해 저명한 문인에 대한 사실
    을 공표하는 것은 ⑥의 ㉠, ㉡, ㉢의 모든 요건을 만족하기
    때문에 아마도 명예훼손의 문제는 일어나지 않을 것이다(단,
    저작권법에서 규정하는 저작자 인격권으로서의 '공표권' 문제는 별도로
    한다).
  ㉡ 저명한 문인의 친족, 친구, 지인 등 주변 사람들에 대해서는
    어떠한가. 예컨대 작품의 모델이라 여겨진 사람에 대해서는
    어떠한가.

기술 여하에 따라서는 명예훼손의 문제가 일어날 수 있을 것이다. 특히 미공개 일기나 편지 등을 연구자에게 열람하게 하여 그 연구자가 논문 등으로 모델이 된 인물을 특정하고 그 사람의 생활적 사실을 공표하는 것은 해당 인물의 명예를 훼손할 가능성이 크다. 물론 공개된 자료를 통해 잘 알려진 사실을 미공개 편지나 일기 등으로 뒷받침하여 논문으로 공표하는 것은 용인될 것이다. 단 문학관은 미공개 일기나 편지의 연구자 열람에 매우 신중을 기해야 한다. 제3자 명예훼손 우려가 있는 편지나 일기 등을 함부로 연구자에게 열람을 허가하여 결론적으로는 제3자 명예훼손이 발생했을 때, 법원은 열람을 허가한 문학관에 대해서도 공동 책임이 있다고 판단할 수 있다. 문학관으로서는 그러한 편지·일기의 내용에 대해 상세히 연구하지 못했을 가능성도 크다. 하지만 열람을 허락한 이상, 내용을 알지 못했다는 것은 정당한 변명이 될 수 없음을 알아야 한다. 물론 기증이나 기탁이 이루어질 때, 예를 들어 제3자에게 폐를 끼칠 수 있으니 20년 동안 열람 금지가 필요하다는 조건이 붙을 수 있다. 그때는 당연히 기증자·기탁자의 의향을 준수해야 한다. 또한 열람 자체는 허가하지만 만약 열람으로 인해 결과적으로 제3자 명예훼손이 생겼을 때는, 열람한 연구자가 모든 책임을 진다는, 따라서 문학관에 피해를 주지 않겠다는 내용의 각서를 열람 조건으로 하는 것도 생각해 볼 수 있다. 하지만 이러한 약속은 문학관과 연구자 사이에서만 유효할 뿐, 명예가 훼손된 제3자에 대해서는 어떤 효력도 갖지 않는다.

문학관의 사명과 책무는 자료를 사장하는 것에 있는 것이 아니라 공개와 열람을 통해 문학 연구에 보탬이 되는 것에 있다. 따라서 전시나 열람 대상이 될 수 있는 자료는 자세히 조사하여 그 자료가 작가 연구에 중요한 의미를 갖는다고 판단될 경우에는, 명예훼손의 책임도 각오하고 열람 허가와 전시를 진행해야 할 것이다. 단 앞에 말한 대로, 기증이나 기탁시 제3자에게 피해를 줄 우려가 있으니 20년 동안 열람을 금지해야 한다는 조건이 붙는 경우는 별도로 한다.

6. 프라이버시 권리

① 프라이버시 권리는 민법 등의 법률에 의해 명확히 규정된 권리는 아니다. 하지만 프라이버시 권리가 민법 709조에서 말하는 '권리'에 포함된다는 것은 현재로서는 학설 판례상 다툼이 없다 (프라이버시 권리가 문제가 된 최초의 사건이 미시마 유키오[4]의 『연회 후』 사건[5]이었다).

---

4 三島由紀夫(1925~1970). 소설가, 정치활동가.
5 전 외무대신 아리타 하치로가 장편소설 『연회 후』(1960)가 자신의 프라이버시를 침해했다는 이유로 작가 미시마 유키오와 출판사인 신초샤를 고소한 사건. 프라이버시와 표현의 자유 문제가 일본에서 처음 법정에서 문제가 되었다. 미시마는 일본 최초로 프라이버시 침해 재판의 피고가 되었고, 당시 '프라이버시 침해'라는 말이 유행어가 됐다고 한다.

② 프라이버시 권리에는 소극적인 측면과 적극적인 측면이 있다.

소극적인 측면은 개인의 사생활이나 사적인 정보가 공개되지 않을 권리이다. 적극적인 측면은 자기에 관한 정보를 콘트롤하는 권리이다.

③ 프라이버시 권리는 무제한으로 보호되지 않는다.

   ⑦ 제한의 첫 번째는, 헌법 21조 1항에서 보장되는 언론·표현의 자유와의 관계이다. 즉 프라이버시 권리는 언론·표현의 자유와 조화를 이루고 균형이 잡히는 한도에서 보호된다.

   ⓛ 제한의 두 번째는, 저명인, 넓게 말하면 공적 존재public fig-ure는 프라이버시 권리가 제한된다는 법리의 문제이다. 이는 정치가 등의 자산, 자산 형성 과정과 같은 프라이버시는 사회적으로 정당한 관심의 대상이라는 점에서 봐도 이해할 수 있다. 단 공적 존재라 해도 프라이버시가 완전히 보호되지 않는다는 것은 아니다. 사회적으로 보아 정당한 관심의 대상이 되는 사항에 대해서만 프라이버시 권리가 제한되는 것이다(미시마 유키오의 『연회 후』 사건의 경우에도 이와 같은 문제가 있었다고 판단된다).

④ 문학관 활동과 관련하여 프라이버시 권리 침해의 문제가 발생하는지 여부.

ㄱ 문학자 본인에 대해서는 어떠한가.

미공개 편지나 일기 등 전시를 통해 저명한 문인의 프라이버시에 속할 수 있는 사실을 공표하는 것은—전시 대상이 되는 문인은 대개 인정을 받는 존재이기 때문에—언론 표현의 자유라는 관점에서도, 또한 공적 존재라는 관점에서도 정당화될 것이다(저작권법상의 '공표권' 문제는 별도로 생각하지 않으면 안 되겠지만 말이다).

ㄴ 저명 문인의 친족, 친구, 지인 등 주변인들 혹은 모델로 여겨진 인물 등에 대해서는 어떠한가. 기술의 내용이나 형태에 따라서는 프라이버시권 침해가 일어나는 것은 아닌가. 문학 연구라는 구실을 내세워 간혹 작가 주변에 있던 사람들의 프라이버시를 관음 취미와 같이 들추어내는 것은 사회적으로 정당한 관심의 범위를 벗어나는 경우가 많지는 않은가. 다만 사회적으로 정당한 관심 대상인 경우도 있을 수 있을 것이다. 명예훼손에서 언급한 내용이 여기에서도 거의 들어맞는다고 할 수 있다. 어떤 문학 자료를 전시할 때 혹은 열람을 허락했을 때, 의도치 않게 작가 주변인들의 프라이버시권을 침해하게 될 우려가 있다. 하지만 그 자료가 그 작가 연구에 중대한 의의가 있다고 판단될 때는 프라이버시권 침해의 책임을 질 각오가 있어야 한다. 또한 문학관이 그 자료를 전시하고 열람을 허락하는 일에 반드시 소극적이 될 필요는 없

다. 그렇지만 이러한 일에는 상당한 견식과 각오가 필요할 것이다.

ⓒ 통설은 망자에게는 프라이버시권이 부정되기 때문에 망자에 대한 프라이버시권 침해도 역시 부정된다. 하지만 망자에 대한 어떤 종류의 정보를 공개하는 것은 유족의 프라이버시권 침해가 될 수 있다. 예를 들어 어떤 병력 등이 이에 해당한다고 판단된다.

7. 기증, 기탁, 구입

① 문학관이 소장하고 있는 자료는 기증, 기탁 혹은 구입에 의한 것이다. 기증의 경우, 문학관에 자료가 들어올 때, 그 자료가 과연 기증된 것인지 여부가 명확하지 않을 때가 있다. 기증을 받은 경우에는 사례편지를 드리고 그 사본을 보존해야 한다. 또한 기증받은 서적 등의 자세한 내용을 대장 등에(지금은 컴퓨터로 처리한다) 기입하여 기증받았다는 것을 명확히 해두어야 한다.

　문제는 한꺼번에 대량으로 기증되는 경우이다. 수십 상자나 되는 자료의 세부 내역은 실제 정리가 끝나야 작성할 수 있다. 이러한 경우에는, 예를 들어 편지 몇 통, 노트 몇 책 등과 같이 대략적으로라도 작성해두어야 한다. 무엇을 기증했는지 혹은 하지 않았는지 하는 것이 다툼으로 이어지는 일이 실제 드물지 않기 때문이다.

② 문학관에서는 자료를 '기탁' 받는 경우가 많다. 이 '기탁'은 민법 657조에서 666조에 규정된 '기탁'과는 다른 관행으로 사용되고 있어 주의기 필요하다.

㉠ 민법 657조에는 "기탁은 당사자 한 쪽이 상대방을 위해 보관할 것을 약속한 어떤 물건을 수취하는 순간부터 그 효력이 발생한다"라고 되어 있다. 따라서 문학관이 기탁이라 칭하는 행위도 민법의 이 규정에 들어맞는 것처럼 보인다. 하지만 민법 658조 1항에는 "수기자受寄者(기탁을 받는 자, 문학관)는 기탁자의 승낙을 얻지 못하면, 기탁물을 사용하거나 또는 제 3자에게 이를 보관시킬 수 없다"라고 되어 있다. 문학관에서 말하는 기탁은 오히려 다른 소장 자료와 같이 열람이나 전시 등에 사용되는 것이 일반적이기 때문에, 문학관이 기탁 자료를 이용하는 것은 민법의 규정에 반하는 것이 된다. 또한 민법 662조에는 "당사자가 기탁물 반환 시기를 정했더라도 기탁자는 언제라도 그 반환을 청구할 수 있다"라고 되어 있다. 이와 같이 기탁자가 언제라도 반환을 요구할 수 있다면 문학관 운영에 지장이 초래될 것이다. 또한 민법 665조에서 준용되고 있는 위임에 관한 민법 649조에는 "위임사무 처리에 비용이 요구될 때는 위임자는 수임자의 청구에 따라 그 비용을

미리 지불하지 않으면 안 된다"라고 되어 있고, 민법 650조 1항은 "수임자는 위임사무를 처리하는 데 필요하다고 인정되는 비용을 지출했을 때는 위임자에게 해당 비용 및 지출일 이후의 이자의 상환을 청구할 수 있음"을 규정하고 있다. 이들 위임에 관한 규정에서 위임자는, 기탁에 대해서는 기탁자로, 수임자는 수탁자(문학관)로 각각 바꿔 읽을 수 있다. 하지만 문학관이 기탁 자료의 정리와 보관에 비용이 들더라도 그 비용을 기탁자에게 청구하는 일은 있을 수 없다. 이와 같은 의미에서 문학관에서 말하는 '기탁'은 민법에 규정된 '기탁'과는 다르기 때문에 특별한 약정이 필요하다.

ⓛ 이 약정이란 기탁이 이루어질 때, 예를 들어 다음과 같은 내용이 들어 있는 계약을 체결하는 것이다.

- 기탁자(모씨, 이하 '갑'이라 함)는 (별지 목록 기재 자료)(이하 '자료'라 함)를 수탁자(모 문학관, 이하 '을'이라 함)에 기탁하고, 기탁을 위해 자료를 을에게 인도한다.
- 을은 자료를 을이 소장한 다른 자료와 동일한 주의의무로써 보관·소장하고 열람을 허락할 수 있다. 또한 기탁 자료는 전시 자료 등으로 활용할 수 있다.
- 을은 자료 보관에 비용이 발생하더라도 갑에게 그 지불을 청구할 수 없다.

· 기탁 기간은 갑이 을에 대하여 본건 기탁 계약을 해약하고 자료의 반환을 청구할 때까지로 하며, 갑은 자료의 반환을 청구할 때는 반환 3개월 전까지 을에게 그 뜻을 통지하지 않으면 안 된다.

ⓒ 기탁은 기탁자가 자료를 자신보다는 문학관에서 보관하는 것이 안전할 것이라는 기대에서 행해지는 경우가 많다. 나중에는 '기증'할 예정이지만 우선 당분간은 기탁으로 한다는 사람도 물론 있을 것이다.

단 기탁자들 중에는 자료의 안전을 위해 문학관에 기탁했다가 고서점에 매각하려고 갑자기 기탁 계약을 해약하고 자료를 반환받아 돈으로 바꾸는 사태도 일어날 수 있다. 이 경우는 기탁자가 문학관을 공짜 창고로 이용한 것이다. 따라서 이런 일이 발생하지 않도록 문학관은 주의할 필요가 있다.

③ 자료 구입은 보통 고서점을 통해 이루어진다. 믿을 수 있는 고서점은 합법적 소유권을 가진 자료를 취급하기 때문에 그러한 곳에서 구입하는 것이 좋다.

하지만 편집자나 유족에게 문인들의 육필원고를 구입할 때는, 소장자들의 자료 취득이 과연 합법적인가 하는 것이 문제가 될 수 있다. 물론 작가들이 친분 있는 편집자나 출판사 측에 자신의 육필원고를 얼마든지 줄 수 있고, 따라서 편집자나 그 유족이 해당 자료의 합법적 소유자라는 것도 충분히 가능하다. 하지만 이러한 자료를 구입할 때는 여러 상황을 면밀하게 살펴보아야 한다.

8 복사

(1) 저작권법의 규정

저작권법 31조에는 다음과 같은 규정이 있다.

도서, 기록, 기타 자료를 공중의 이용을 위해 제공하는 것이 목적인 도서관, 기타 시설로 정령[6]으로 규정된 곳(이하 이 조에서는 '도서관 등'이라 함)에서는 — 아래 세 가지에 해당될 때 — 영리를 목적으로 하지 않을 경우, 도서관 등의 도서, 기록, 기타 자료(이하 이 조에서는 '도서관 자료'라 함)를 이용하여 저작물을 복제할 수 있다.

- 도서관 등에 접수된 이용자의 요구에 따라, 그 조사 연구의 자료로 사용되기 위해 공표된 저작물의 일부분(발행 후 상당 기간을 경과한 정기간행물에 게재된 개별 저작물은 그 전부)의 복제물을 한 사람당 한 부를 제공하는 경우
- 도서관 자료의 보존을 위해 필요한 경우

---

6 政令. 일본에서 내각이 제정하는 명령. 행정기관이 제정하는 명령 중 가장 우선적 효력이 있다.

· 다른 도서관 등의 요구에 따라, 절판, 기타 및 이에 준하는 이
유에 의해 일반적으로 입수가 곤란한 도서관 자료의 복제물을
제공하는 경우

(2) 도서관이란 무엇인가

저작권법 31조에서 말하는 도서관은 저작권법 시행령 제1조 3
의 1항에 다음과 같은 것을 말한다고 규정되어 있다.

법 제31조(법 제86조 제1항 및 제102조 제1항에서 준용하는 경우를 포
함)의 정령으로 규정된 도서관, 기타 시설은 국립국회도서관 및 다
음에 해당되는 시설로 도서관법(1950년 법률 제118호) 제4조 제1항
의 사서 또는 이에 상당하는 직원으로서 문부과학성령에서 정한 직
원이 있는 곳으로 한다.

· 도서관법 제2조 제1항의 도서관
· 학교교육법(1947년 법률 제26호) 제1조의 대학 또는 고등전문학교
  (26호 이하에서는 '대학 등'이라 함)에 설치된 도서관 및 이와 유사한
  시설
· 대학 등에 있어서의 교육과 유사한 교육을 행하는 교육기관으로
  해당 교육을 하는데 학교교육법 이외의 법률에 특별 규정이 있
  는 곳에 설치된 도서관
· 도서, 기록, 기타 저작물의 원작품 또는 복제물을 수집하고 정

리・보존하여 일반 공중이 이용할 수 있도록 하는 업무를 주로 하는 시설로 법령의 규정에 의해 설치된 곳
・학술 연구를 목적으로 하는 연구소, 시험소, 기타 시설로 법령의 규정에 의해 설치된 곳 가운데 그곳에서 보존하는 도서, 기록, 기타 자료를 일반 공중의 이용을 위해 제공하는 업무를 행하는 곳
・앞 각 호에 언급된 곳 이외에 국가, 지방공공단체 또는 일반 사단법인 혹은 일반 새단법인, 기디 영리를 목저.으로 하지 않는 법인 (다음 조에서 제3조까지는 '일반 사단법인 등'이라 함)이 설치한 시설로 두 번째 항목(・)에서 언급한 시설과 같은 종류 가운데 문화청 장관이 지정한 곳

(3)

① 문학관이 도서관법 제2조 제1항에서 말하는 도서관일 경우 1호에 해당한다. 도서관법 제2조 제1항은, "'도서관'이란 도서, 기록, 기타 필요한 자료를 수집하고 정리・보존하여 일반 공중의 이용을 위해 제공하고, 교양・조사연구・레크레이션 등에 보탬이 됨을 목적으로 하는 시설로, 지방공공단체・일본적십자사 또는 일반 사단법인 혹은 일반 재단법인이 설치한 곳(학교에 부속된 도서관 또는 도서실은 제외)을 말한다"라고 규정하고 있다. 따라서 일본근대문학관과 같은 시설은 여기에 해당된다.

② 문학관이 현립, 사립 등 조례에 의해 설립된 경우는 4호에 해당
한다.

③ 도서관법 제2조 제1항에 해당되지 않는 공익법인일 경우에는
문화청장관의 지정이 필요하다(지정된 법인은 고시에 의해 공표됨).

(4) 복제가 허용되는 경우

① 이용자의 조사연구를 목적으로 한 것(영리목적이 아닌 것).
② 공표된 저작물인 것(미공표 저작물은 포함되지 않음).
③ 저작물의 일부(전체 복제는 허용되지 않음).
④ 한 사람당 1부(복수 부수의 복제는 허용되지 않음).

(5)

저작권 보호기간이 만료된 저작물의 복제, 제공은 당연히 자유
이다.

(6)

전화 등으로 주문을 받아 복제물을 팩스로 제공할 수 있는지 여
부에 대해 명문화된 규정은 없다. 하지만 용인된다고 본다.

9. 인용

(1)

저작권법에서 허용된 '인용'에 해당하면 타인의 저작물은 저작자의 승낙이 없어도 복제하여 이용할 수 있다. 허용된 적법한 '인용'에 대해 저작권법은 다음과 같이 규정하고 있다.

① 저작권법 제32조 1항

"공표된 저작물은 인용하여 이용할 수 있다. 이 경우, 그 인용은 공정한 관행에 합치되는 것이자 보도, 비평, 연구, 기타의 인용 목적상 정당한 범위 내에서 행해지는 것이어야 한다."

② 저작권법 제48조 1항

"다음 각 호에 언급되는 경우에는, 해당 각 호에서 규정된 저작물의 출처를 그 복제 또는 이용 형태에 따라 합리적이라고 인정되는 방법 및 정도에 의해 명시해야 한다."

③ 저작권법 제48조 2항

"전항의 출처를 명시할 때에는, 이에 표시된 저작자명이 확실한 경우 및 해당 저작물이 무명일 경우를 제외하고는, 해당 저작물에 표시된 저작자명을 밝혀야 한다."

(2) 문학관에서 저작물을 이용하는 것은 다음의 경우일 것이다.

① 도록에 저작물을 게재하는 경우.

② 관보, 기요 등의 글에 저작물을 인용하는 경우.

(3) 합법적 인용이 되기 위해서는 다음의 요건에 부합해야 한다.

① 공표된 저작물일 것(미공표 저작물의 인용은 허용되지 않음).

② 공정한 관행에 합치될 것.

    예를 들어 인용된 기술이 본문과 괄호 등으로 확실히 구별된 것(명료구별성).

③ 비평, 연구 등의 목적을 위한 정당한 범위 내에서의 인용일 것.

    예를 들어 인용된 것이 주主이고, 본문이 종從과 같은 식은 정당한 범위 내 인용이 아님(주종관계).

④ 출처 명시가 이루어진 것.

    출처 명시를 어디까지 해야 하는 지는 일률적으로 말할 수 없다. 저자명, 잡지나 책의 제목, 발행연월 등 자세할수록 좋다. 하지만 저작의 성격에 따라 그 정도는 같지 않을 것이다. 예컨대, 하이쿠나 시가 등을 인용할 때는 작자명만으로도 충분하다.

    출처 명시의 위치는 인용된 문장 바로 앞 또는 바로 뒤가 좋고, 전체 글의 맨 끝에 해도 별 문제는 없을 것이다.

(4)

도록에 저작물을 게재하는 것은 대부분 인용이라고 할 수 없는 단순 복제에 해당된다.

(5)

인용이 제한되는 것은 당연히 보호기간이 만료되지 않은 저작물 뿐이다.

위탁관리자 선정 기준 및 방법

위탁관리자 적격성 판단 기준에 대해 아래의 목차에 따라 개인적 의견을 말해보고자 한다.

목차

1. 코스트 퍼포먼스
2. 문학관이란?
3. 운영 비용
4. 자료
   (1) 자료 수집
   (2) 자료 소장·보존
   (3) 자료 정리
   (4) 자료 수집, 보존, 정리의 계속성
   (5) 자료 공개
   (6) 자료 열람
5. 전시
   (1) 개최 의의

1. 코스트 퍼포먼스[1]

위탁관리자 여부와 상관없이 문학관 운영에 종사하는 자가 최대한 훌륭한 서비스를 최대한 적은 코스트로 제공해야 한다는 것은 새삼스레 말할 필요도 없이 당연한 것이다. 하지만 문학관은 수집, 정리, 보존한 자료를 현재만이 아닌 미래 문화에도 공헌해야 함을 그 책무로 한다. 문학관 사업의 코스트 퍼포먼스는 이 관점에서 고려되어야 한다. 올바른 위탁관리자로서 갖추어야 할 우선 조건은 당연히 양호한 코스트 퍼포먼스 운영이 가능한 자이어야 한다는 것이다. 위탁관리자 선정은 문학관이 제공해야 할 서비스는 어떠한 것인지, 이에 필요한 코스트는 어떠한 비용을 의미하며, 어떠한 의

---

1   Cost Performance. 가성비(價性比).

의를 갖는지 등이 명확히 결정된 상태에서 이루어져야 한다. 필자는 이것이 올바른 선정을 위한 첫 전제라고 생각한다.

2. 문학관이란?

문학관이 제공해야 할 서비스의 내용과 형태 등은 문학관의 설립 목적이 무엇이냐에 따라 모두 같지 않을 것이다. 설립 및 사업 목적은 문학관마다 다를 수 있다. 일반적으로 문학관은 주로 아래의 사업을 행하는 시설이다.

① 주 대상으로 다룰 작가 관련 자료를 수집, 정리, 보존하여 연구자 등에게 열람 자료로 제공하거나 간행물 등으로 공표하고, 문학적 유산으로 후세에 전달하는 일. 즉 현재만이 아닌 먼 미래에 걸쳐 문화적 창조에 공헌하는 것이 문학관의 책무이다. 이때, 대상 작가는 문학관에 따라 다르며, ㉠ 메이지 이후 일본 문학사상 업적을 평가받는 모든 문인, ㉡ 지역 연고 문인, ㉢ 특정한 한 사람 내지 복수의 문인 등으로 분류된다.

② ①의 문인과 관련된 문학 자료의 전시(이른바 문학전시의 개최).

③ 문학 보급 활동(강연회, 세미나, 강좌 등의 개최). 여기에는 ①의 문인과 관련된 보급 활동도 있고 그렇지 않은 것도 있다.

④ 지역 문화사업의 거점

⑤ 기타

3. 운영 비용

① 위탁관리자 제도를 도입하지 않은 문학관은, 즉 지방자치단체가 직접 또는 실질적으로 지배하는 재단법인을 통해 간접적으로 운영하고 있는 많은 문학관들은 조성금, 보조금, 위탁사업비 등의 형태로 전체 비용을 지방자치단체가 지출하여 운영하고 있다. 위탁관리자 제도는 지방자치단체가 위탁관리자에게 일정 금액을 주고 운영을 위탁하는 것이다.

　㉠ 운영 결과 지방자치단체가 지급한 금액에서 잉여금이 발생하면, 지방자치단체에 반환할지 혹은 운영관리자의 이익으로 할지를 결정해야 한다. 거꾸로 부족한 경우가 발생하면, 지방자치단체가 보전할지 혹은 운영관리자에게 부담하게 할지를 정해야 한다.

　㉡ 잉여금이 발생했을 때 지방자치단체가 반환을 요구한다면, 운영관리자는 수입을 증대하고 경비를 절감함으로써 수익을 올릴 동인을 갖지 않게 된다. 거꾸로 반환을 요구하지 않는다면, 운영관리자는 이익 추구에 전념하게 되어 문학관 본래의 설립 취지에 맞지 않게 운영할 우려가 있다. 예를 들어, 자료의 수집, 정리, 보관 등에 필요한 경비를 지출하지 않아

도 그 시점에서는 외부에서 이를 알 수가 없다. 이 결과, 자료 보존이 부적절하게 엉망으로 된다면 문학관은 돌이킬 수 없는 손실을 입을 우려가 있다.

ⓒ 부족한 경우가 발생했을 때 위탁관리자에게 부담시키게 되면, 위탁관리자는 손실 리스크를 피하기 위해 손실이 발생하지 않도록 하거나 혹은 수익 사업에 전념하게 되어 문학관 본래의 설립 취지에 맞지 않게 운영할 우려가 있다. 이때도 ⓛ와 같이 문학관은 돌이킬 수 없는 손실을 입을 우려가 있다. 반대로 부족한 경우가 발생했을 때 지방자치단체가 부족액을 보전해준다면, 위탁관리자는 무책임하고 안이한 운영을 할 것이다.

ⓔ 따라서 지방자치단체와 위탁관리자가 어떻게 계약하는가 하는 것은 매우 중요하다.

② 지방자치단체와 위탁관리자가 계약할 때 어디까지 운영을 위탁할지 하는 것도 문제이다. 즉 문학관 건물의 유지 · 관리 · 청소, 컴퓨터 · 복사기 같은 비품, 집기, 사무용품 등 문학관 업무 및 사업에 필요한 혹은 부수되는 업무를 어디까지 위탁할지와 위탁관리자가 이러한 비용 올 어디까지 부담해야 하는지 등에 대한 검토가 필요하다. 예를 들어, 노후화된 건물 본체의 수선은 지방자치단체 부담으로 해야 할 것이다. 광열비[2] 같은 비용은 위탁관

리자의 운영 방법에 따라 절감할 수도 있다. 건물 청소나 주변 정원 등은 별 신경을 쓰지 않으면 비용을 줄일 수 있지만 문학관의 미관을 해칠 수 있고, 그렇게 되면 시민들이 문학관을 방문하려 하지 않을 것이다. 따라서 운영 범위와 비용 부담의 문제는 결코 쉬운 일이 아니다. 이에 대해서도 합리적 결정이 필요할 것이다.

③ 문학관의 운영비는 대개 다음과 같다. 전체의 약 1/3이 건물, 시설 등의 유지·관리·광열비·기타 각종 유지관리비이다. 또다른 1/3이 각각 인건비와 사업비이다. 하지만 최근 지방자치단체의 재정이 궁핍해지고 있어 지방자치단체가 주는 조성금, 보조금, 위탁사업비 등이 해마다 삭감되고 있다. 지방자치단체의 예산 지원이 줄어도 건물, 시설 등의 유지관리비는 절약할 여지가 없다. 인건비도 삭감이 어렵다. 가령 10명의 직원이 있는 문학관은 1~2명을 해고하여 8~9명으로 운영하거나 정규직을 파트타임 직원으로 전환하는 등의 방법이 있긴 하지만 규모에 따라 그에 상응하는 직원 수는 필수여서 인건비 삭감에는 한계가 있다. 또한 안내데스크는 파트타임 직원으로도 충분할 것 같지만 안내데스크는 문학관의 얼굴이라 해야 마땅한 직무이다. 안내데스크 직원이 문학관의 업무나 행사 등에 정통하지 않으면 관람객의

---

2   光熱費. 전기, 가스, 수도 요금을 합친 비용.

질문에 제대로 대답할 수 없고, 그렇게 되면 관람객에게 실망을 안기거나 문학관에 반감을 갖게 할 수 있다. 사실 안내데스크는 단순한 한 사례에 지나지 않는다. 인건비 절감을 위해 파트타임 직원이나 자원봉사자에게 의존하는 것은 그 위험이 크다. 이들이 할 수 있는 일에는 한계가 있을 수밖에 없기 때문이다.

문학관들은 이러한 문제에 직면하여 주로 사업비 삭감을 통해 대응해온 것 같다. 핵심 사업비를 삭감하여 매년 4회 실시하던 기획전시를 2회로 줄이거나 혹은 기획전시 예산을 400만 엔에서 300만 엔으로 감축하는 등의 방법을 취했던 것이다. 하지만 전시의 횟수를 줄이거나 규모를 작게 하는 등의 방법은 사업비 삭감에 대처하는 적절한 대응책이라고 할 수 없다. 이 같은 방식으로 코스트 퍼포먼스의 향상을 꾀하려고 하는 자는 위탁관리자로서 자격이 없다고 할 수 있다. 위탁관리자는 문학관 업무와 사업이 충실해질 수 있도록 항상 명심하고 유념해야 한다.

문학관의 주 수입은 관람객의 입장료이다. 여기에 이른바 뮤지엄 상품 판매에서 나오는 이익이 추가된다. 문학관의 수입과 지출에 있어 입장료 수입은 총 지출의 1할 내지 2할 정도가 일반적이다. 또한 고령자 무료 입장이나 아동·학생의 반액 요금 정책을 실시하는 곳이 많아 코스트 퍼포먼스는 사업 수입보다는 관람객 수를 기준으로 생각해야 한다.

④ 단 관람객 수가 많다는 것이 반드시 소기의 사업 목적 달성을 의미하는 것은 아니다. 전시는 문학관의 존재 의의를 말해주는 중대한 사업임에 틀림없지만, 문학관의 존재 자체는 보다 넓은 의미의 공공시설임을 잊어서는 안 된다. 이에 대해서는 나중에 말하고자 한다.

4. 자료

(1) 자료 수집

문학관의 존재 의의와 사업 목적은 다음과 같다. 우선 산일되기 쉬운 자료를 수집·보존하여 연구자 등에게 열람 자료로 제공·공개하고 후세에 전달하는 것이다. 따라서 이를 달성하기 위해 위탁 관리자는 어떤 요건을 갖추어야 하는 지에 대해 차례로 검토하고자 한다. 먼저 자료 수집에 대해 이야기해보자.

① 자료 수집의 전제는 방화·내진 구조 및 공조 등의 설비가 완비된 수장고의 존재이다. 수장고가 완비되지 않은 한, 자료 수집은 매우 어렵다. 정리와 보존도 불가능하다고 할 수 있다. 완비된 수장고의 존재는 위탁관리자 선정의 전제가 된다.

② 자료 수집을 위해 책정된 구입 예산은 문학관 규모에 따라 다르겠지만, 일반적으로 그렇게 많은 액수는 아니다. 수집 예산을 전

혀 책정하지 않은 문학관을 논외로 하면, 책정했다고 해도 대개 수백만 엔에서 많아야 천만 엔 정도일 것이다.

이 같이 비교적 적은 비용으로 훌륭한 자료를 구입하는 것은 대부분 직원의 학식과 열의, 인간성(상대방에게 신뢰를 주는 인격) 등에 달려 있다. 즉 자료 소장자(유족, 컬렉터 능)와 식간접으로 면식이나 정보원情報源을 가지고 있는지, 고서점으로부터 신속하게 정보를 받을 수 있는 관계를 맺고 있는지 등에 따라 훌륭한 자료의 구입 여부가 판가름난다. 따라서 위탁관리자에게 이러한 학식, 열의, 인간성을 갖춘 상당수의 직원이 있는지를, 자격 요건 심사시 고려해야 한다.

③ 문학관 자료의 입수는 대부분 구입보다는 자료 소유자의 기증과 기탁에 의한 경우가 훨씬 많은 것이 사실이다.

소장자들이 자료를 기증하는 동기는 대개 다음과 같다. 먼저 자료를 집에 두고 사장시키기보다 공공의 이익에 보탬이 되고자 하는 뜻에서 기증이 이루어지는 경우가 있다. 또한 자신의 사후, 애써 모은 귀중한 자료를 가족들이 소홀히 다뤄 뿔뿔이 흩어버리거나 고서점에 팔아버리는 등 자료의 활용이 어렵게 될까 하는 우려에서 기증하는 경우도 있을 것이다.

기탁은 보통 소장자가 자신이 살아 있는 동안에는 집에서 보존하기보다 완비된 설비와 자료 취급에 능숙한 직원이 있는 문학관에 맡기는 편이 안전하다는 생각에서 이루어진다. 또한 기탁 상태로 두다 자신의 사망 후 기증으로 전환하는 방법도 있고, 필요에 따라서는 언제든 반환을 요구할 수 있다는 점이 소장자들로 하여금 기탁을 선택하게 하는 것이다.

하지만 문학관 측이 가만히 있는데 저절로 자료가 기증·기탁되는 일은 거의 없다. 꾸준히 작가나 그 유족과 접촉하여 신뢰를 얻어야 하며, 기증·기탁을 위한 적극적인 노력도 병행해야 한다. 이러한 작업 없이 자료를 기증·기탁받기는 불가능하다.

④ 따라서 직원의 능력이 결정적이 될 수밖에 없다. 자료의 소재 파악, 발굴, 입수 등의 방법에 자세하면서 자료를 노련하게 다뤄 소장자에게 신뢰를 받는 직원이 문학관 규모에 맞게 있는지 하는 점도 위탁관리자를 선정할 때 반드시 고려되어야 한다.

⑤ 비용 절약을 위해 이러한 능력과 학식을 갖추지 못한 직원들로 문학관을 운영하려고 하면, 자료 수집은 불가능하다. 자료 수집이 빈약해지면 문학관은 그 존재 의의가 의심스러워질 뿐만아니라 전시나 다른 행사도 매력이 반감된다. 하지만 이러한 인재는 하루아침에 길러지는 것이 아니다.

⑥ 문학관이 그 존재 의의와 사업 목적을 달성하기 위해서는 자료를 충실히 수집할 수 있는 인재가 있어야 한다. 아울러 미래를 위해 그러한 인재를 양성할 수 있는지 하는 것도 위탁관리자 자격 요건 판단시 고려해야 한다.

(2) 자료 소장・보존

① 문학자료는 종이로 된 자료이다. 종이에 인쇄한 자료는 파손・오염・퇴색되기 쉽다. 즉 손상에 약하다. 따라서 가능한 한 손상되지 않도록 오랜 세월에 걸쳐 자료를 보존하는 것이 문학관의 사명이자 책무이다. 이를 위해서는 적합한 소장 시설이 필요하다. 이는 (1) ①에 언급한 대로 위탁관리자의 문제는 아니기 때문에 여기에서는 잠시 보류하기로 한다.

② 수장고를 포함한 건물과 시설 등의 유지 및 관리까지 위탁할 경우를 생각해보자. 내화・내진, 공조설비를 갖춘 수장고에 자료를 보관한다고 해도 자료를 손상 없이 보존할 수 있는 것은 아니다.

공조설비가 있어야 한다는 것은 두말할 필요도 없지만 공조가 만능은 아니다. 자료를 정상적인 상태로 장기간 보존하려면 손상 요인을 최대한 제거할 필요가 있다. 이를 위해 수장고 내 연간, 일간日間 온습도 및 조명 관리, 통풍 설계, 서가 배치 등 모든 사항이 자료 보존을 목표로 궁리되어야 한다.

또 하나 놓치지 말아야 할 점은 다음과 같다. 비용 절감을 위해 공조설비의 가동을 멈춘다는 것은 논할 가치도 없다.

③ 완벽한 수장고가 있다고 해도 결국 자료를 다루는 것은 직원이다. 직원에게 세심한 주의와 자료를 노련하게 다룰 수 있는 능력이 없다면 자료의 손상은 불가피하다. 자료를 더러운 손으로 취

급한다는 것은 당치도 않은데, 실제 그와 같이 자료를 함부로 다루는 문학관들도 있다. 또한 수장고에 출입할 때 슬리퍼로 갈아 신는 등 먼지가 들어오지 않게 주의하는 것은, 문학관 직원으로서 상식 이전의 문제라 할 수 있다.

④ 자료 가운데 육필원고, 편지 등에 대해서는 각별한 주의가 필요하다. 이들 자료는 단 하나밖에 없는 것이기 때문에 잃어버리는 일 능이 발생하게 되면 수습이 불가능한 큰일이 된다. 원칙적으로 이들 자료는 폴리프로필렌 봉투 등에 보관하여 손으로 직접 만지지 않는 습관을 들일 필요가 있다. 하지만 폴리프로필렌 봉투뿐만 아니라 지금은 중성지로 된 기밀성이 뛰어난 특수 용기 같은 것이 여러 종류 개발되어 있다. 흔히 오동나무 상자는 기밀성이 좋다고 여겨진다. 고품질, 고가인 것은 별도로 하자. 오동나무 상자라고 해도 그 질은 다양하다. 보통의 오동나무 상자는 기밀성이 뛰어나다고는 할 수 없다. 또한 사용된 접착제에 따라 자료가 손상될 우려가 있다. 자료 종류에 따라 그에 적합한 각각의 보존 수단이 있기 때문에, 어떻게 자료를 보존할지에 대해서는 깊이 있고 폭넓은 경험과 지식, 노하우가 필요하다.

⑤ 또한 자료는 곰팡이, 벌레 등의 생물에 의해서도 손상을 입는다. 이 때문에 이른바 거풍 혹은 이를 대신할 수 있는 적절한 훈증 작업도 필요하다. 여기에 드는 비용을 줄여 결국 자료를 손상시키는 것은, 문학관으로서는 자살행위이다.

⑥ 자료의 소장·보존에 대해 이와 같이 깊이 있고 폭넓은 경험과 지식, 노하우를 갖춘 인재가 있는가 하는 것과 이러한 인재를 양성하는 것은 하루아침에 가능한 것이 아니기 때문에 이 같은 직원을 키울 열의를 갖고 있는가 하는 점도 위탁관리자 선정시 고려해야만 한다.

(3) 자료 정리

① 도서관 업무에 있어 사서라는 전문직의 존재는 필수적이다. 이는 상식이라 할 수 있다. 하지만 많은 지방자치단체에서는 사서가 아닌 아마추어도 도서관 업무를 볼 수 있다는 그릇된 생각을 갖고 있다. 이는 도서관 사서가 반드시 정규직일 필요는 없다고 하는 근거가 된다. 이것이 현실이다. 문학관 자료의 정리는 도서관과는 다르게 생각할 필요가 있다. 문학관 자료를 정리하는 일은, 어떤 의미에서 도서관 이상으로 중요하다.

구입, 기증, 기탁 등에 의해 자료가 입수되었을 때, 자료를 수장고 서가에 방치해둘 수는 없다. 서가의 자료 배치는 분류를 통한 정리가 선행되어야 한다. 도서관에서는 도서·잡지를 일본 십진분류법을 사용하여 분류한다. 이것이 일반적이다. 하지만 이 방법이 꼭 문학관에도 적합하다고는 할 수 없다. 일본 십진분류법을 따르면, 문학서와 의학서는 분류가 달라 완전히 다른 서가에 배치된다. 하지만 문학관은 다르다. 모리 오가이를 예로 들어보자. 문학관은 오가이의 서적을 같은 장소에 배치될 수 있도록 분류해야 한다. 단 이러한 분류법이 모든 문학관에 공통된다고는 할 수 없다. 각각의 문학관들은 자체 연구를 통한 독자적 분류법으로 자료를 배치하고 있을 것이다. 자료의 분류도 문학관 특유의 전문 지식이 필요한 것이다.

② 자료를 분류하는 이유는 서가 배치와 필요시 반출을 위한 편의 때문이다. 자료 분류는 카드를 작성하는 것이 일반적인데, 이는 문학관 자료 관리와 자료 열람을 희망하는 외부인의 편의를 제고하기 위함이다. 카드의 기재사항은 관리용 카드와 열람자용 카드가 반드시 동일한 것은 아니다. 예를 들어 관리용 카드에는 입수일이 기재되고, 기증·기탁받은 자료일 경우 기증자·기탁자의 주소와 이름, 구입한 것이라면 구입가격 등이 표시된다. 하지만 열람자용 카드에는 이러한 정보가 필요하지 않다. 다만 카드를 통해 자료를 관리하는 일은 현재 컴퓨터 데이터 입력으로 바뀌고 있다.

③ 자료는 도서·잡지만 있는 것이 아니다. 원고, 편지, 기타 육필 자료, 서축, 자질구레한 일상용품, 애용품 등도 매우 중요한 자료이다. 따라서 이들의 분류와 정리에도 특별한 지식과 경험이 필요하다.

④ 카드나 컴퓨터 모두, 어느 정도의 정보를 기술 혹은 입력할지 하

는 것은 문학관마다 다르다. 자료가 적으면 상세 정보를 입력할 수 있을 것이고, 자료가 많으면 입력할 수 있는 정보에 한계가 있을 것이다. 비용 절감을 위해 데이터 입력을 하지 않는다거나 하더라도 극단적으로 늦는다든지 혹은 매우 소략하게만 하는 일도 있을 수 있는데, 이는 문학관에 있어 자살행위라 해야 한다.

⑤ 따라서 자료의 분류·정리와 데이터 입력에 대한 지식과 경험, 노하우를 갖춘 상당수의 직원을 갖추었는가 하는 점은 위탁관리자의 자격 조건 판단시 반드시 고려해야 할 요소이다.

⑥ 하지만 위탁관리자로 뽑힌 자가 자료 데이터를 입력하지 않는다거나 하더라도 극단적으로 늦게 한다든지 혹은 충분하지 않게 해도 외부에서는 이를 눈치채기가 어렵다. 따라서 위탁관리자를 선정할 때에는 데이터 입력 능력과 체제를 조사할 필요가 있다.

(4) 자료 수집, 보존, 정리의 계속성

앞에 쓴 자료 수집, 보존, 정리는 3년이나 5년 등 기간을 정해놓고 그 기간 동안만 하면 된다는 것이 아니다. 문학관이 존속하는 한 영구적으로 계속하지 않으면 안 되는 업무이다. 또한 일시적으로라도 보존과 정리가 무책임하게 이루어진다면, 이를 복구하는 것은 쉽지 않을 뿐더러 불가능에 가깝다. 위탁받은 3년 동안 비용 절감을 구실로 자료 정리를 소홀히 하면, 이는 돌이킬 수 없는 일이 된다. 나아가 그동안 쌓아온 신용을 한 번 잃어버리면, 기증·기탁은 물론 외부의 협력도 기대할 수 없다.

그 결과, 위탁관리자가 운영한 일정 기간 동안에는 코스트 퍼포먼스가 향상·개선되었다 해도 장기적으로 보면 오히려 잃어버린 것이 훨씬 큰 문제가 될 것이다.

(5) 자료 공개

문학관 소장 자료를 연구자 등에게 열람 자료로 제공하는 용도로만 활용하는 것은 충분치 않다. 자료는 공개되어야 한다. 그렇지 않으면 자료는 사장된 것과 같다.

지금까지는 문학관이 간행하는 관보, 뉴스, 기요, 기타 간행물에 게재하여 공개하는 것이 관례였다. 앞으로도 이런 방식의 공개는 필요하다. 하지만 지금은 온라인 공개가 간행물 배포 이상으로 많은 사람들의 주목을 끌 수 있기 때문에 인터넷 이용을 적극 고려해야 한다.

다만 간행물에 게재하거나 인터넷을 이용하더라도, 이에 선행되어야 하는 것이 자료의 번각[3]이다. 하지만 육필자료를 번각하고 이를 간행물에 싣는 것은 결코 쉬운 일이 아니다. 예를 들어 메이지

---

3   翻刻. 고문서, 필사본 등의 흘려쓴 글자 혹은 초서를 해서(楷書)체로 바꿔 읽을 수 있게 하는 것.

시기 붓으로 쓴 편지를 해독하고 이를 번각해 게재하기 위해서는 흘려 쓴 글자나 필자 특유의 서체 등을 읽어내야 한다. 이 작업에는 당연히 숙련, 지식, 경험, 능력 등이 필요하다. 더욱이 제작 시기를 특정하기 위해서는 내용이나 용지의 종류 등 다양한 상황과 조건을 고려하지 않으면 안 된다. 작품, 편지 등에 관련된 주변 사정을 알아야 내용을 알 수 있는 경우가 많고, 작가가 사용한 원고지에 대한 것도 집필 시기를 추정하는 데 도움이 된다.

위탁관리자를 선정할 때에는 이와 같은 지식, 경험 등을 갖추고 있는지와 공개를 위해 어느 정도의 노력을 할 예정인지 등을 검토해야 한다.

또한 미발굴 자료를 공개하는 경우, 필자나 관련된 사람의 프라이버시 침해 및 명예훼손 문제가 일어나지 않도록 주의할 필요가 있다. 이러한 주의를 기울일 수 있는지 여부도 적합한 위탁관리자인지를 판단할 때 고려해야 하는 사항이다.

(6) 자료 열람

문학관 자료는 연구자 등에게 열람 자료로 제공되어야 한다. 이것이 문학관의 목적과 책무이다. 이를 위해서는 열람에 적낭한 설비가 필요하다. 소장 자료와 이용자 수에 따라 열람실과 열람 코너 등 적절한 열람 환경을 갖추는 것은 당연한 것이다.

자료 배치가 개가식이면 이용자들은 도서·잡지 등 소장자료를 편리하게 열람할 수 있다. 하지만 육필자료는 물론 문학관이 소장한 도서·잡지 등은 대부분 희귀서나 입수하기 어려운 것들이기 때문에 자료 운영은 일반적으로 폐가식이다.

예를 들어 자료 열람시 이용자가 자료를 더럽히거나 극단적인 경우에는 특정 페이지를 뜯어가는 등의 불상사가 생길 수 있다. 하지만 열람신청서에 게재한 주소·이름과 문학관과 이용자 사이의 신뢰관계 등을 통해 그러한 사태가 일어나지는 않을 것이다.

단 육필자료와 같은 특별 자료는 직원의 눈이 닿는 장소에서 열람을 허락해야 한다. 연구자라 해도 직원들만큼 세심하게 주의를 기울이고 꼼꼼하게 신경쓰면서 자료를 대하지는 않기 때문이다.

또한 미공개 자료의 열람은 자료를 공개할 때와 마찬가지로 필자 및 자료와 관련된 사람의 프라이버시 침해나 명예훼손 문제가 일어나지 않도록 주의할 필요가 있다. 미발굴 자료를 공개할 때처럼, 그러한 주의를 기울일 수 있는지 하는 점도 위탁관리자로서 적격인지 판단할 때 고려해야 한다.

5. 전시

(1) 개최 의의

전시를 개최하는 것은 문학관의 필수 책무이나. 이는 소장 자료를 사장시키지 않기 위함이며, 문학관은 연구자나 문학애호가 등에게만 편의를 제공하는 곳이 아니기 때문이다. 또한 문학관은 문학 보급 활동을 통해 시민을 위한 유익한 시설이어야 하기 때문이기도 하다. 나아가 특정 문인이나 어떤 특정 지역 작가의 현창을 목적으로 설립된 문학관은 이들의 업적을 문학전이라는 형식으로 지역 주민에게 널리 알리는 것이 그 존재의의일 것이기 때문이다.

(2) 수입과 지출

소장 자료 혹은 대여 자료의 전시, 이른바 문학전시는 수익을 올리는 것이 불가능하다. 수지타산을 맞추는 것조차 매우 어려운데, 대개 지출이 수입보다 훨씬 크다. 이는 상식에 속한다. 단 규모가 작은 문학관은 유지나 관리 비용이 매우 작다. 따라서 운영을 자원봉사자들에게 맡기면 인건비가 거의 들지않아 대부분 수지타산을 맞출 수 있다. 하지만 이러한 문학관은 위탁관리자를 선정할 필요가 없다.

(3) 문학관의 역할과 전시

앞에 말한 수지상황을 감안한다 해도, 문학관은 소장 자료를 사장시키기 위해 존재하는 곳이 아니다. 또한 자료를 일부 연구자에게 열람시키는 것만을 목적으로 하는 시설도 아니다. 소장 자료를 공개하여 문학을 널리 보급하기 위해 전시를 개최하는 것은 문학관의 책무라고 할 수 있다. 지방자치단체에 따라서는 관광사업으로 문학관의 전시를 이용하고자 하는 곳도 드물지 않다. 문학관은 반드시 전시실을 갖추고 있다. 또한 관람객이 연간 10만이나 그 이상 되는 문학관은 일본 전체에서도 두세 곳을 꼽을 정도이다. 대부분 2~3만 명 정도인데, 그 가운데에는 연간 수천 내지 수백 명밖에 찾지 않는 문학관도 적지 않다. 이러한 관람객 수는 문학관의 수입이 대개 얼마인지 짐작할 수 있게 한다.

(4) 전시 기획

대부분 전시에서 수입보다 지출이 많은 것은 우선 재미있지 않아 관람객들이 찾지 않기 때문이다. 또한 관람객들이 흥미롭게 볼 수 있는 전시 기획이 어렵기 때문이다. 그 이유에 대해 아래에서 검토해보기로 하자.

① 문학관은 도서관, 미술관, 박물관 등과 다르다.

도서관은 많은 사람이 찾는 도서를 구입하면 이용자의 증가를 기대할 수 있다. 이는 도서관이 시민들의 수요에 부응한다고 볼 수 있는 근거가 될 것이다. 하지만 수십 권이나 구입한 인기 있던 도서를 1~2년 후 유행이 지났다는 이유로 대부분을 폐기 처리하는 것은 바람직하지 않다. 따라서 이용자 수의 증가만이 도서관의 긍정적 존재 방식이라고는 할 수 없다. 하지만 이는 문학관의 문제는 아니다.

미술관은 화제성이 풍부한 그림이나 일반적으로 애호되는 화가의 작품, 예컨대 인상파 화가의 작품 등을 전시하게 되면 많은 비용을 감수하고라도 전시를 찾는 상당수의 관람객을 기대할 수 있다. 이때는 코스트 퍼포먼스가 나쁘다고는 할 수 없다. 꼭 이렇게 유명한 작품이 아니라 해도 관람객은 전시된 작품에 대해 좋고 싫다는 나름의 감상을 가질 수 있다. 단 보는 사람의 교양 수준에 따라 그 정도는 다를 수 있다.

박물관도 미술관과 거의 마찬가지라고 할 수 있다. 백자 항아리나 천평기[4]의 불상 등 전시된 유물에 대해, 관람 수준은 다르다 해도 관람객들은 아는 정도에 따라 재미가 있고 없다는 정도의 감상은 가질 수 있다.

미술관·박물관 전시의 경우, 출품된 회화 등 작품이 무엇이

4   天平期. 729~749년.

나에 따라 언론에서 다룰 만한 화제성 풍부한 것들이 있다. 이렇게 되면 상당한 수의 관람객을 기대할 수 있다.

② 하지만 문학전시의 경우는 다르다. 관람객이 전시에서 다루는 작가의 작품을 미리 읽지 않으면 전시된 육필원고나 초판본, 사진 등을 봐도 별 감흥을 갖지 못하는 것은 지극히 당연하다. 또한 미리 읽었다 해도 관람객들이 육필원고, 초판본 등에 특별한 흥미를 느낀다고는 할 수 없다. 이들 자료들에 특수한 관심을 가진 전문가나 애호가를 예외로 하면, 이들 자체가 각별한 흥미를 갖게 해주는 것은 아니다. 보통의 관람객은 나쓰메 소세키의 필적이나 원고를 보더라도 '그렇군. 소세키는 이렇게 달필이었구나' 식의 감회를 가지는 데 그칠 것이다. 모리 오가이와 같은 문호의 작품은 꽤 널리 읽히고 있다. 그렇다 하더라도 같은 쓰와노에 있는 모리 오가이 기념관과 안노 미쓰마사[5] 기념관[6]을 비교해 보면, 전자의 입장객 수는 후자에 훨씬 미치지 못하는 것이 사실이다.

따라서 많은 관람객이 이미 작품을 읽은 문인이면서 현재 인기 있는 작가를 대상으로 한 전시가 아니라면, 많은 관람객을 기대할 수는 없다. 이러한 작가는 나쓰메 소세키, 이시카와 다쿠보쿠, 다자이 오사무,[7] 미야자와 겐지 등 극히 소수에 불과한 것이

---

5   安野光雅(1926~), 일본의 화가, 장정가, 그림책 작가.
6   安野光雅美術館. 2001년 개관. 시마네현 가노아시군 쓰와노정 소재.
7   太宰治(1909~1948). 소설가.

사실이다. 예를 들어 오오카 쇼헤이, 노마 히로시, 나카무라 신이치로 등 일본문학사상 중대한 업적을 남긴 전후파 작가의 작품도 현재는 거의 읽히지 않는다. 일본 문학사를 장식하는 빛나는 업적을 남긴 문인들의 작품이라 해도 이와나미문고,[8] 고단샤 문예문고[9] 등에 소수의 몇몇 작품이 수록되어 있을 뿐, 읽는 것 자체가 극히 어려운 것이 현실이다.

이러한 상황 속에서 대다수 지방자치단체의 주민이나 관람객이 흥미를 가질 수 있는 문학전시를 기획하여 진행하는 것은 매우 어려운 일이다.

③ 또한 문학관의 사업목적 중에 문학 보급 활동이 있는데, 전시는 그 핵심을 이루는 사업이다. 전시 대상이 된 작가 애호가나 독자가 전시에 관심을 갖는 것은 당연하다 할 수 있다. 이들이 전시를 찾게 하기 위한 별다른 노력은 필요치 않다. 문학관의 목적인 문학 보급 활동이란, 문학에 친숙하지 않은 사람들에게 친숙해지는 계기를 마련해주고 문학의 매력을 알게 해주는 것에 다름 아니다. 문학 혹은 문학책과 인연이 없는 사람들에게 문학의 매력을 알게 하여 그들을 문학의 세계로 이끄는 것이 전시를 개최

---

8 岩波文庫. 주식회사 이와나미서점이 발행하는 문고본. 1927년 독일의 레클람 문고를 모범으로 하여, 저렴한 가격으로 보다 많은 사람들이 부담없이 읽을 수 있는 책을 목적으로 장간된 일본 최초의 문고본 시리즈.
9 講談社文芸文庫. 고단샤가 발행하는 문고판 총서로 1988년 4월 순문학 계열의 작품을 체계적으로 수록하기 위해 창간되었다. 순문학과 문예평론이 주를 이루고 있다.

하는 목적인 것이다. 따라서 많은 관람객들이 관심을 갖고, 문학에 관심이 없는 사람들을 불러모을 수 있는 전시를 기획하고 실시할 수 있는 능력을 갖추고 있어야 한다. 이는 위탁관리자 적격성 판단시 반드시 고려해야 하는 항목이다.

이를 위해 첫 번째로 요구되는 것이 기획력이다. 관람객들이 전시된 문인의 업적에 대해 모르더라도 흥미로운 관람이 가능하도록 만들 수 있어야 전시 기획력 적격성 항목에 합격점을 줄 수 있는 것이다.

④ 소장 자료가 많으면 이러한 기획은 어렵지 않겠지만 빈약하다 해도 나름의 기획이 가능하다. 문인 또는 작품을 관람객에게 소개하는데 단 하나의 시각이나 측면만 있는 것은 아니다. 전시 작품이나 작가에 대해 잘 모르는 관람객도 흥미를 느낄 수 있고, 보고난 후 충족감을 가질 수 있는 전시를 위해서는 기획에 대한 많은 연구가 필요하다. 예를 들어 개별 문인 기념관의 경우를 생각해보자. 그 작가 평생의 많은 작품을 육필자료와 초판본 등으로 보여준다고 할 때, 자료들을 양적으로만 단조롭게 전시하는 것보다 대표작 한 작품만을 깊이 있게 전시하는 것이 관람객들에게 꽤 강력한 감동을 줄 수 있을 것이다. 다음 해 개최할 작품을 골라 그 작품을 속속들이 보여주기 위해 많은 노력과 연구를 거듭하는 것이 재방문객도 늘리고 보다 많은 관람객을 유치할 수 있는 방법이다. 전시 교체를 자주하는 것도 마찬가지이다.

⑤ 일본근대문학관은 지금까지 '사랑의 편지', '꽃들의 시가', '문학·청춘', '사랑노래의 현재', '파리 동경' 등의 전시 패키지[10]를 제작하여 몇몇 문학관에서 순회전시를 개최한 바 있다. 이들 전시는 전시 내용에 대해 잘 모르는 관람객들도 재미있게 볼 수 있도록 기획한 것이다. 이러한 전시는 일본근대문학관과 같이 많은 소장품을 가진 문학관만이 가능한 것이라 할 수 있다. 하지만 지역 문학관도 작품을 미리 읽을 필요가 없는, 즉 전시에서 다루는 작가나 작품에 대해 잘 모르는 관람객들도 흥미롭게 관람이 가능한 전시를 기획할 수 있다. 예를 들어 '사랑노래의 현재'는 가인歌人들에게 새로 받은 휘호를 전시한 것이다. 주제 여하에 따라 반드시 소장 자료로만 전시를 할 필요는 없다. 새로운 자료를 만들어내 후세에 전하는 것도 가능한 것이다.

⑥ 동화童話, 동화童畵 등의 문학전시는 부모·자식 동반 관람객이나 학교·학급의 단체관람객들을 예상할 수 있어 상당히 많은 관람객 수를 기대할 수 있다. 하지만 그렇다고 해서 1년 내내 이러한 전시만을 개최할 수는 없다. 또한 동화童話·童畵, 아동문학 전시라 해도 반드시 관람객이 많은 것은 아니다. 이러한 전시는 어디까지나 예외적으로 개최할 수 있는 것이다. 또한 현역 미스테리 작가 등 엔터테인먼트 계열 작가를 주제로 한 전시도 작품

---

10 일본근대문학관은 자신들이 기획한 전시 일체를 판매한다. 전시 구성, 자료, 해설문, 캡션 일체를 '패키지 상품'화하여 다른 문학관에 대가를 받고 판매하는 것이다. 이때, 자료는 판매 대상이 아니기 때문에 대여가 된다.

을 읽은 사람이 많기 때문에 상당한 관람객 수를 예상할 수 있을 것이다. 하지만 지금까지의 사례를 보면, 유행 작가의 전시에 반드시 많은 관람객이 찾는 게 아니라는 것이 판명된 바 있다. 반면 지금까지의 전시가 이른바 순문학자를 중시하고 엔터테인먼트 계열 문학을 경시한 경향이 있음은 부정할 수 없다. 이런 문학이, 어떤 의미에서는, 시대의 국민감정을 대변하고 있다는 것도 사실이다. 따라서 이러한 문학을 전시 대상에서 배척하는 것은 옳지 못하다. 하지만 그렇다고 해서 기획전의 중심으로 하는 것도 그릇된 일이다. 핵심은 그 균형에 있다.

⑦ 전국문학관협의회는 회원 문학관 상호 간 공동기획이나 순회전 등을 협력 개최하여 최대한 흥미롭고 관람객에게 매력 있는 전시를 기획해왔다. 이러한 노력은 앞으로 점점 중요해질 것이다. 가령, 400만 엔이 드는 전시를 여러 문학관에서 순회한다면, 각 문학관의 부담은 100만 엔 내지 200만 엔으로 충분할 것이다. 또한 이들 전시에 각 문학관의 소장 자료를 참조 전시함으로써 전시의 가치를 높이고 관람객이 보다 흥미를 느낄 수 있게 하는 것도 가능할 것이다. 전국문학관협의회는 이러한 공동기획·순회전 개최에 한층 더 힘을 쏟고자 하는데, 이를 위해서는 각 문학관 직원들의 인간적 신뢰관계가 필수적이다. 서툴고 어중간한 위탁관리자가 이러한 공동기획이나 순회전에 참가한다는 것은 상당한 한계가 있을 것이다.

⑧ 위탁관리자가 합당한 자격을 갖추고 있는가 하는 것은 다음과 같은 조건을 충족하는지 여부에 달려 있다고 보아야 한다. 최대한 많은 수의 관람객에게 매력 있는 전시 기획을 할 수 있는가 하는 것과 그리고 그 전시를 최대한 많은 수의 관람객들이 매력 있다고 느끼게 할 수 있는지 하는 것이다. 단순히 비용을 절감할 수 있는가 하는 것은 위탁관리자로서의 적격성과는 아무 관계가 없다.

(5) 전시 구성

전시 기획을 짜고 그것을 실현할 자료가 있다 해도 관람객의 흥미를 끌 수 있는 전시를 구성하기 위해서는, 역시 지식과 경험, 노하우 등이 필요하다.

① 보통은 기획전의 취지나 총론이라 해야 할 것을 600자 정도로 써 전시실 입구에 게시한다. 이는 너무 길면 관람객이 읽지 않고 또 너무 짧으면 기획 취지에 대한 이해를 어렵게 한다.

② 전시는 3부 내지 4부로 구성하는 것이 보통이다. 예컨대 어떤 문인 한 명을 다룬다고 해보자. 작가들은 나이가 듦에 따라 작풍이 변화하여 각각의 시기의 대표작으로 볼 수 있는 작품이 있는 것이 보통이다. 따라서 연대에 따른 분류가 가장 일반적이다. 하지만 이 외에 장르별이나 연애소설, 역사소설, 평론 등으로 분류하

는 것도 가능할 것이다. 핵심은 관람객에게 어렵지 않고 재미있게 볼 수 있는 전시를 해야 한다는 것이다. 해설은 각 부당 400자 정도가 좋다. 너무 길면 읽지 않을 것이고, 반대로 너무 짧으면 해당 부분의 전시 취지가 제대로 전달되지 않을 수 있기 때문이다. 또한 관람객들은 각 전시물에 간단한 캡션이 있어야 해당 자료를 잘 이해할 수 있다.

③ 이러한 구성을 기획하고 해설과 캡션을 능숙하게 작성하는 일두 문학관 직원의 기량에 달려 있다. 또한 필요에 따라서는 외부 전문가의 협력도 받아야 한다. 이러한 능력을 갖춘 필요한 수의 직원이 있는지도 위탁관리자 적격성 판단 시 그 근거가 된다.

(6) 전시 방법

관람객들에게 전시 자료를 쉽고 편안하게 보여주기 위해서는 역시 나름의 궁리와 관련 지식과 경험, 노하우가 필요하다.

① 전시 방법은 문학관 전시 설비에 따른 제약이 있다.

② 전시 방법은 전시 자료의 특성에 따라 모두 다르다. 서축과 같은 자료는 벽면을 이용하는 것이 좋다. 육필원고 등은 위에서 들여다보는 방식의 케이스를 사용하고, 초판본이나 잡지 등은 진열장 안 벽면에 설치된 선반에 최대 두 열로 배치하는 것이 바람직하다. 세 열이 되면 대개 가장 안쪽의 전시물은 읽을 수 없기 때

문이다. 이는 모두 관람 편의성을 고려한 것이다.

③ 조명은 최대한 자료의 손상을 피할 수 있도록 주의해야 한다. 따라서 자연광에 자료를 노출시키는 것은 금물이며, 당연히 자외선 차단 조명기구를 사용해야 한다. 하지만 이러한 것들을 사용한다고 해도 전시 자료와는 어느 정도 거리를 두어야 한다. 또한 전시 기간이 한 달이 넘으면 대부분의 자료는 손상이 일어난다. 따라서 이러한 전시 방법에 대한 지식과 경험, 노하우를 갖추지 못한 자가 위탁관리자로 선정될 경우, 자료의 훼손 혹은 손상이 발생할 우려가 크다.

(7) 전시와 관광

위탁관리자로서 합당한 자격을 갖추었는지를 심사할 때는 전시 기획 및 개최를 위한 폭넓은 경험과 지식, 노하우를 갖춘 필요한 수의 직원들이 있는지 여부를 꼼꼼히 살펴보아야 한다. 이에 대해서는 여러 번 설명한 바 있다.

심사에 통과한 좋은 위탁관리자가 선정되어 그로 인해 지금까지는 문학과 별 인연이 없었던 사람들도 문학관을 방문한다고 가정해 보자. 이렇게 되면 문학관은 주민들에게 친근한 존재는 물론 관광객들에게도 매우 흥미로운 시설이 될 것이다. 결과적으로 문학관이 좋은 관광 시설이 되어 지방자치단체에 공헌하고 아울러 지역 활성화에 보탬이 되는 것이 필자의 소망이다.

6. 기타

(1) 관내—문학관 내부에서 할 수 있는 것들

문학관 내에서 이루어지는 강연회나 문학강좌 개최 등을 말하는 것이다. 강사는 강연회나 강좌의 수준에 따라 다양하다. 전문적 학자나 연구자, 작가 등이 적절할 수도 있고 문학관 직원이 담당할 수도 있다.

일본근대문학관은 거의 50년에 걸쳐 유라쿠정[11] 요미우리홀에서 『요미우리신문』과의 제휴에 따른 '문학교실'을 매년 여름 일주일 동안 개최하고 있다. 또한 문학관 내 홀에서 '목소리 도서관'이라는 작가·시인들의 자작낭독회를 개최하여 이를 영상기록으로 제작·보존하고 있다. 또한 '육필을 읽다'는 문학자의 육필편지와 원고를 소개하는 강좌인데, 육필을 통해서만 맛볼 수 있는 문학에 대한 이해와 재미를 교육하고 있다.

핵심은 다음과 같다. 어떠한 기획과 테마로 강연이나 강좌 등을 개최할 것인지, 어떤 식으로 적절한 강사를 초빙할 것인지, 어느 정

---

11 도쿄도 치요다구의 정명(町名)의 하나. 황궁 및 히비야공원과 가까우며 그 유명한 '긴자(銀座)'가 이곳에 있다.

도의 예산으로 강사비 사례를 할 것인지, 이에 따라 어느 정도의 관람객이 예상되는지, 강연회나 강좌 등의 참가자로부터 참가비를 받을 것인지, 받는다면 어느 정도의 금액이 적당한지 등을 결정하는 것도 지식과 경험, 노하우가 필요하다. 위탁관리자는 당연히 이를 갖추고 있어야 한다.

(2) 관외—문학관 밖에서 할 수 있는 것들

관외 활동에 대해서는 많은 것을 생각해 볼 수 있다. 약간의 사례를 아래에 제시하고자 한다.

① 이른바 문학산보. 이는 희망자를 모집하여 문학관 직원이 안내하는 것이다. 문학관 직원은 코스를 선정하고 문학적으로 연고가 있는 장소와 그 근거 등을 설명할 수 있는 능력을 갖추어야 한다.

② 문학전시의 배달. 문학전은 반드시 문학관에서만 개최해야 하는 것은 아니다. 따로 학교나 공민관 같은 곳을 염두에 둔 소규모 전시를 기획·개최하여, 전시를 주민들에게 친근한 것으로 하는 것도 의미가 있다.

이러한 사업은 문학관의 인지도를 높이는 데 도움이 된다.

문학관에서 할 수 있는 의미 있는 사업이라고 할 수 있지만 누구나 쉽게 할 수 있는 것은 아니다. 위탁관리자로서 합당한 자격을 갖추었는지를 판단할 때, 이러한 사업들을 기획·개최할 능력이 있는지 여부도 그 판단 기준의 하나가 된다.

끝내는 말

일본근대문학관의 나카무라 신이치로 이사장이 갑자기 타계하여, 필자는 1998년 3월 일본근대문학관의 후임 이사장으로 선임되었다. 그때 당면한 첫 번째 문제는 문학관의 재정 문제였다. 문학관이 어떠한 존재여야 하는지에 대한 명확한 이념을 갖지 못했던 것이 다음 문제였다. 즉 문학관의 여러 문제에 대해 아무 것도 몰랐다고 해도 과언이 아니다.

이에 앞서 1995년에 필자는 일본근대문학관 주도로 전국문학관협의회를 조직했다. 나카무라 신이치로 이사장을 보필하여 일본근대문학관의 부이사장을 맡고 있을 때였다. 창립 당시는 간사장으로, 나카무라 신이치로 이사장 타계 후에는 회장으로 협의회를 운영해 왔다. 전국적으로 보면 실로 다양한 규모와 성격의 문학관이 있고, 각각의 문학관은 공통된 혹은 특유의 문제를 안고 있었다. 필자는 이러한 문제에 대해 완전히 무지했다. 따라서 문제를 서로 이야기하는 기회를 만들었는데, 이를 통해 우선 필자 자신이 계발될 수 있었다. 나아가 전국 문학관의 활성화와 상호 협력을 통해 문학관 활동을 질적으로 향상시키고자 전국문학관협의회의 설립을 호소하여 마침내 그 결실을 맺었던 것이다. 협의회는 총무 분과와 자료 분과, 전시 분과를 두고, 매년 한 번 있는 총회 외에 각 분과 모임을 돌아가면서 개최하기로 했다. 각 분과에서는 모임에 앞서, 예컨대 총무 분과는 재정에 관한 문제나 의견을 가 문학관에 질의하여 낭일 4~5개 문학관에서 운영, 자료, 전시를 주제로 보고를 한다. 또한 이를 토대로 약 10개 안팎의 문학관 관계자가 모여 공동 토의를 진행했다. 현재 제47호까지 간행된 『전국문학관협의회회보』는 문학관 활동에 관한 정보의 보고라고 할 수 있다.

이 책이 총론, 자료, 전시라는 3장으로 구성된 것은 전국문학관협의회 활동 형태의 분류를 따랐기 때문이다. 이 책에 수록된 글은 1998년 9월부터 2010년 7월호까지 「문학관학 입문의 밑그림을 위하여」라는 제목으로 일본근대문학관 격월간 관보인 『일본근대문학관』에 연재한 것이다. 단행본으로 묶으면서 『문학관을 생각한다』로 제목을 바꾸고 '문학관학 입문을 위한 밑그림'이라는 부제를 붙인 것은 단지 문학관 관계자뿐 아니라 문학관에 관심을 가진 분들도 널리 읽어주시길 바랐기 때문이다.

이 책의 내용은 일본근대문학관 직원들과 이사 여러분, 전국문학관협의회 활동에 협력해주신 많은 분들로부터의 가르침을 그 토대로 하고 있다. 하지만 필자의 사견이라 해야 할 것들도 많다. 필자의 의견에 많은 이의와 이론異論, 반대가 있을 것은 분명하다. 그러한 이의와 이론, 반대 의견이 표명되었을 때 비로소 문학관학이 그 입문이라 해야 할 것에 가까워질 수 있을 것이다. 이 책은 입문을 위한 밑그림의 소재를 제공하는 것에 지나지 않는다. 하지만 지금까지 이러한 방식으로 문학관에 대해 고찰한 글은 없었다. 따라서 문학관이 어떠해야 하는지를 궁리할 때, 이 책이 어느 정도 역할을 할 수 있지 않을까 기대하고 있다.

또한 이 책에는 약간의 중복이 있음을 잘 알고 있다. 하지만 굳이 삭제하지는 않았다.

이 책을 쓰는 데에 많은 가르침을 주신 분들, 특히 일본근대문학관 사무국에서 이미 퇴직하신 분들을 포함한 직원들께 감사의 말씀을 드린다.

부록으로 「문학관 관련 법률 문제」라는 제목의 글을 실었는데, 이것은 매년 8월 일본근대문학관이 개최하는 '문학관연습' 강좌의 일부로 필자가 담당한 강의 교재이다. 문학관 직원에게 유익한 정보일 거라 생각해 이 책에 덧붙였다.

「위탁관리자 선정 기준 및 방법」이라는 글도 부록에 수록했다. 지방자치단체가 만든 문학관은 입찰과 심사를 통해 위탁관리자를 선정하는 것이 일반적이다. 필자는 전국문학관협의회의 통일 의견으로 위탁관리자 선정 기준 및 방법에 대해 공표하고자 초안을 각 문학관에 배포한 적이 있다. 하지만 한두 곳의 납득할 수 없는 반대가 있어 단념할 수밖에 없었고, 대신 개인 의

견으로 발표하기로 했다. 문학관 위탁관리자 선정 기준이나 방법에 대해 참고사항으로 삼고자 이 책에 싣기로 한 것이다.

마지막으로 상업적 출판물로서는 도움이 되지 않는 이 책의 간행을 맡아주신 세도샤의 시미즈 히토리 씨와 실무를 담당해주신 니시다테 이치로 씨에게도 감사의 마음을 적어 두고 싶다.

2011년 1월

나카무라 미노루

역자 후기

　문학관이란 무엇일까? 문학관이란 무엇을 하는 곳일까? 박물관이나 미술관에 비해 오늘날 문학관은, 특히 우리나라의 경우는 기능이나 역할 등이 상대적으로 명확하게 정리되어 있지 않다. 최근 오랜 진통 끝에 국립한국문학관 부지가 서울 은평구로 결정되었다. 국립한국문학관은 박물관적 기능과 도서관적 기능에 더해 아카이브까지 합쳐진 '라키비움Lachivium'으로서의 역할이 논의되고 있다. 한 마디로 정리하면 학교청소년 및 일반 시민부터 전문연구자에 이르기까지 모든 계층이 두루 이용할 수 있는 포괄적이고 복합적인 역할을 해야 한다는 뜻이다. 물론 작가기념관이나 지역문학관까지 모두 '라키비움'이 될 필요야 없겠지만, 문학관의 존재 이유나 역할 및 기능에 대해 논의가 활발해진 것은 분명해 보인다.

　이웃 나라인 일본은 우리보다 훨씬 많은 수백 개의 문학관이 있다. 유학 시절, 모든 역에 정차하는 일반열차를 타고 일본 각지를 여행한 적이 있는데 일단 목적지에 도착하면 그곳의 헌책방과 문학관은 빠지지 않고 둘러보았다. 버스도 하루에 몇 번밖에 다니지 않는 작은 시골 마을에도 반드시 문학관이나 작가 기념실을 갖춘 도서관이 있고, 그 안에서 진지한 표정으로 조용히 관람하는 사람들이 무척 인상적이었다. 전시 작가나 내용에 대해서는 잘 몰랐지만 문학이 전시 대상이 될 수 있다는 것이 새로웠고, 대학이나 도서관도 아닌 문학관에서 꼼꼼하게 자료를 수집·연구하여 전시를 비롯해 다양하게 활용하고 있다는 점에 감탄을 금할 수 없었다.

저자인 나카무라 미노루가 가진 문학관에 대한 기본 개념은 소장자료를 연구자에게 연구 자료로 제공하는 연구지원기관으로서의 문학관이다. 이 책에서 자료의 충실한 수집과 보존 및 정리, 완비된 수장고의 필요성·정당성을 끊임없이 강조하고, 관광시설로서의 문학관을 원칙적으로 반대하는 이유도 바로 이 점에 있다. 다만 자료를 수집하고 보존만 하는 것은 자료를 사장시키는 것과 같기에 열람과 전시를 통해 적절한 방법으로 공개해야 한다는 점도 놓치지 않는다. 하지만 문학자료 즉 초판본이나 육필원고, 작가의 유품 등은 이렇다 할 볼거리가 아니기 때문에 보다 철저한 전시기획이 필요하다는 것이 저자와 이 책이 가진 가장 큰 문제의식이다.

현재 문학관에 종사하며 전시와 자료 관련 업무를 담당하면서 가장 '격하게' 공감한 것이 이 점이다. 문학관의 전시는 박물관이나 미술관과 근본적으로 다르다. 고고학이나 역사학, 혹은 미술(사)을 전공하지 않았거나 그에 관한 지식이 없는 사람이라도 박물관이나 미술관 전시를 보면 나름대로의 감상을 가질 수 있다. 하지만 문학관 전시는 그렇지 못하다. 지금까지 일본 각지의 문학관 전시를 꽤 봤다고 할 수 있는데 전공이 문학이라 관심을 가졌던 것이지 별 흥미를 느끼지 못했거나 이렇다 할 느낌이 없었다는 것이 솔직한 감상이라고 할 수 있다

이는 기본적으로 문학이란 읽는 것이지 보는 대상이 아니기 때문이다. 내용이 매우 훌륭한 전시라 해도 관람객이 해당 작가에 대해 모르거나 작품을 읽지 않았다면 전시에 관심을 갖거나 흥미를 느끼기는 대단히 어렵다. 저자는 이를 '사전 지식'의 유무로 설명하는데, 이것이야말로 핵심을 찌르는 지적이다. '아는 만큼 보인다'는 말은 박물관·미술관 관람에도 해당되지만 문학관이 가장 강력하게 들어맞는다고 생각한다. 일본에서 가본 수십 곳의 문학관 가운데 가장 오래 머물렀고 거의 '유일'하게 관심있게 보았던 곳은 기타큐슈의 마쓰모토 세이초 기념관이었다. 이는 마쓰모토 세이초가 누군지 알고 있고 작가의 작품들을 읽었기 때문이다.

실제로 문학관 전시를 담당하며 점점 절실하게 느끼는 것이 '책 전시만큼 재미없는 전시는 없다'는 점이다. 책을 읽지 않고 문학 자체에 대한 관심이 크지 않은 현실에서 사람들을 문학관

에 오게 하는 것은 결코 쉬운 일이 아니다. 이 책의 저자는 보다 세심한 궁리가 필요하다고 하지만 이를 실현하기는 지극히 어렵다. 궁색하지만, 깊이 있는 연구와 자료에 대한 완벽한 장악, 시대와 현실을 읽는 날카로운 안목 등을 꾸준히 갈고닦는 수밖에는 없을 듯하다.

이 책은 2011년 발행된 나카무라 미노루의『문학관을 생각한다』를 옮긴 것이다. 문학관의 정의와 기능부터 전시와 자료, 일반업무에 이르기까지, 문학관 전반에 대한 내용을 다루고 있다. 일본의 대표문학관이라 할 수 있는 일본근대문학관의 이사장으로 재직하며 겪은 다양한 경험을 바탕으로 쓴 책인 만큼 내용이 매우 구체적이고 사실적이다. 또한 부록에서는 문학관을 운영하면서 부딪칠 수 있는 각종 법률 문제와 운영 주체의 자격 등을 자세하게 다루고 있어서 현재 문학관에 종사하거나 문학관 설립 및 개관을 준비하는 관계자와 관계기관에 좋은 참고자료가 될 것이다.

꼬박 2년이 걸린 번역은 그야말로 악전고투의 연속이었다. 이 책은 '아침과 야간 자율학습'의 결과물이다. 게으름이 가장 큰 원인이겠지만, 직장에 다니면서 번역서를 낸다는 것은 생각만큼 쉽지 않았다. 또한 일본어 실력도 물론이거니와 일본 근대문학에 대한 무지는 도중에 몇 번이나 포기하려고 했을 만큼 너무나 거대한 벽이었다. 역자 후기를 쓰는 이 순간이 가능했던 것은 여러 주위 분들의 도움 덕택이다.

먼저 번역을 허락해주시고 흔쾌히 한국어판 머리말을 써주신 저자 나카무라 미노루 선생님께 감사드린다. 이 책의 세부 내용과 일본 근대문학에 대해서는 일본근대문학관의 도쿠나가 미키 선생님의 도움을 받았다. 끊임없는 역자의 질문에 언제나 친절하고 꼼꼼하게, 그리고 서의 실시간으로 답변을 주셨다. 진심으로 감사드린다. 원저의 일본 출판사인 세도샤의 시노하라 잇페이 선생님께도 고마운 마음을 전하고 싶다. 선생님은 저자와의 연락을 맡아주셨다. 그리고 연세대 다지마 데쓰오 선생님도 빼놓을 수 없다. 진저리가 날 정도로 질문과 부탁을 드렸는데도 항상 흔쾌히 도와주셨다. 진심으로 감사의 말씀을 드리고 싶다. 연세대의 노혜경 선생님과 다쿠쇼쿠대학의 이토 토모코 선생님, 후쿠오카대학의 류충희 선생님, 도쿄대학의 아이카와 타쿠야 선생님, 관동갤러리의 도다 이쿠코 선생님께도 고맙다는 말씀을 드리고 싶다. 항상 관심 가져주시고 격려해주시는 김영민 선생님과 한국근대문학관 이현식 관장님께도 감사드린다.

이 책이 번역서로서 세상에 나올 수 있었던 것은 전적으로 성균관대 국문과 박진영 선생님 덕분이다. 또한 김민영, 박천홍, 서영란 선생님의 이름을 특별히 적는다. 이 분들의 격려와 우정, 엄혹한 지적과 질책 덕분에 번역을 마무리지을 수 있었다. 마지

막으로 상업성이 없는 번역서의 출간을 맡아준 소명출판에는 또
다시 큰 빚을 졌다. 그저 감사드릴 뿐이다.

2019년 4월

함태영